W0358713

Resolver problemas	Cálculo mental y lógica	T. de la información		Ponte a pr…
Resolver paso a paso 20	Sumar números de tres cifras 22		REPASA LAS UNIDADES	Utiliza lo que sabes para obtener la letra del DNI **Tarea final:** Gestiona una tienda 25
Descubrir la secuencia lógica mediante una tabla 36	Sumar números de tres cifras con llevadas 38	Tablas de frecuencias, gráficos de barras y polígonos de frecuencias. 42		Interpreta la información para organizar un viaje en tren **Tarea final:** Juega a los divisores 41
Representar gráficamente el problema 54	Restar números completando decenas 56			Observa y reflexiona utilizando fracciones **Tarea final:** Obtén una fracción de tarta 59
Utilizar un dibujo 70	Multiplicar por descomposición 72			Interpreta la información y participa en una regata **Tarea final:** Elabora un collar 75
Proyecto trimestral: La naturaleza en números 78 - 79				
Localizar los datos necesarios 92	Multiplicar por decenas completas 94		REPASA LAS UNIDADES	Analiza los precios utilizando números decimales **Tarea final:** Salta, mide y ordena 97
Estimar el resultado 110	Sumar números decimales 112	Moda y media. 116		Calcula y reflexiona operando con decimales **Tarea final:** Decide el precio de un billete de autobús 115
Aproximar los datos 128	Restar números decimales 130			Lee y comprende medidas de longitud **Tarea final:** El consumo de agua 133
Responder preguntas intermedias 146	Multiplicar por 11 y 101 148			Piensa y decide operando con datos de tiempo. **Tarea final:** Construye una línea de tiempo 151
Proyecto trimestral: Un museo, un tesoro 154 - 155				
Resolver paso a paso con un dibujo 172	Multiplicar por 9 y 99 174		REPASA LAS UNIDADES	Conoce el arte aplicando lo que sabes sobre rectas y ángulos **Tarea final:** Dibuja el plano de un monasterio 177
Utilizar la regla y el compás 190	Multiplicar por 5 y 50 192	Gráficos de sectores 196		Observa y reflexiona utilizando las figuras geométricas y sus movimientos **Tarea final:** Construye un mosaico 195
Estudiar casos más sencillos 210	Multiplicar por 25 212			Mide y compara el suelo de tu clase **Tarea final:** Traza y compara superficies 215
Eliminar posibles respuestas 228	Dividir entre 5 230	Azar y probabilidad: Sucesos seguros, posibles e imposibles 234		Ordena la información y decide usando lo que conoces sobre prismas, pirámides y cuerpos redondos **Tarea final:** Construye un castillo 233
Proyecto trimestral: La geometría de las máquinas 238 - 239				

Más actividades y contenidos en smSaviadigital.com

Comenzamos

DECIMALES ALEATORIOS

Los romanos eran grandes aficionados a los juegos de azar con dados. Dado se dice *alea* en latín y por eso llamamos números aleatorios a aquellos números que se generan al azar.

Vamos a jugar con números decimales aleatorios en grupos de cuatro jugadores.

- Cada jugador tira un dado 5 veces.
- Cada número aleatorio se forma con 0 y con los números que resulten de lanzar el dado 5 veces.

- Gana la ronda el jugador que obtenga el número menor.

¿Es posible que los romanos utilizaran estos números? ¿Por qué?

EL CAMBIO

Una solución es: 

Compruébalo. Hay tres soluciones más. ¿Puedes encontrarlas?

TU PRIMER MILLÓN... DE SEGUNDOS

Un recién nacido duerme las dos terceras partes del día (unas 16 horas). Como cada hora tiene 60 minutos y cada minuto 60 segundos, un bebé duerme 57.600 segundos al día.

¿Cuántos segundos tiene un día? ¿Cuántos días tardaste en cumplir tu primer millón de segundos? ¿Sabrías poner un millón de segundos en días, horas, minutos y segundos?

Trenes de no muy alta velocidad

El transiberiano es un tren que recorre 9.289 km entre Moscú y Vladivostok. ¡Tarda casi 7 días!

Si la velocidad es la misma durante todo el recorrido...¿Cuántos kilómetros recorre en una hora?

La línea ferroviaria se inauguró en 1904 y hace dos trayectos a la semana (uno de ida y otro de vuelta).

¿Cuántos kilómetros recorrió en sus primeros 100 años?

PROBLEMA DE JARRAS

Juan y Elena tienen dos jarras. En una caben exactamente 3 litros, y en la otra, 5 litros. ¿Cómo podrán poner 4 litros exactos en la jarra grande?

Elena asegura que con una jarra de exactamente 8 litros es capaz de resolver el problema sin desperdiciar ni una gota ¿cómo lo hará?

unidad

5

Números decimales

¡Qué importante es... el trabajo en equipo!

Dentro de un equipo, cada cual aporta sus mejores cualidades y el resultado es mejor que el que se consigue por separado. Si somos buenos compañeros, juntos podremos llegar mucho más lejos.

Tarea final

Al final de la unidad, saltaréis por equipos y mediréis y ordenaréis los resultados. Un equipo obtendrá la mejor marca, pero todos ganaréis si vuestro objetivo es formar un buen equipo de trabajo.

¿Cuántos amigos tiene Frank?

En la clase de Luis están muy contentos. Acaban de recibir las cartas que les han enviado los alumnos de un colegio de Estados Unidos. A Luis le ha tocado la carta de Frank. Está deseando leerla. Al abrirla, ha visto que no solo le ha escrito letras y signos de puntuación, sino también números...

"Me llamo Frank. Tengo 10 años y 2 perros", decía la carta. "¡Qué suerte!", ha pensado Luis (por lo de los perros). "Mis asignaturas favoritas son matemáticas y música. Se me dan muy bien", sigue Frank. "Me alegro. ¡Como a mí!", piensa Luis. "Tengo 1,000 amigos. ¿Querrás ser uno más?".

Cuando ha leído esta frase, Luis ha sentido pena por Frank. "¡Pobrecillo! ¡Solo tiene un amigo!", ha pensado. Al momento ha cogido papel y bolígrafo y le ha escrito: "No te preocupes, *my friend*. Conmigo ya tienes 2.".

Luis no entiende la respuesta de su amigo Frank, que llega días después: "¡No! ¡Contigo tengo 1,001!".

"¡Pobrecillo!", piensa Luis. "Espero que eso de que se le da bien la música sea verdad. Porque lo que es matemáticas…".

Lo que no sabe Luis es que la coma que él usa para separar las cifras decimales, se usa en Estados Unidos para separar los miles. En Estados Unidos, en los miles, un punto es una coma. Menos mal que un amigo es un amigo en cualquier parte del mundo.

Begoña Oro

Hablamos

1. Indica qué partes del texto corresponden a la carta de Frank y qué partes a lo que piensa Luis.

2. ¿Cuántos amigos cree Luis que tiene Frank? ¿Cuántos tiene en realidad?

3. ¿Por qué piensa Luis que a Frank se le dan mal las matemáticas?

1 Números decimales

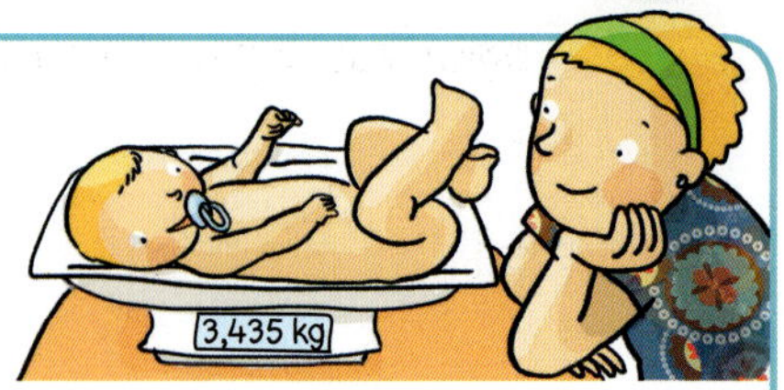

El hermano de Carla ha pesado 3,435 kg al nacer.

El número 3,435 es un número decimal, formado por unidades, décimas, centésimas y milésimas.

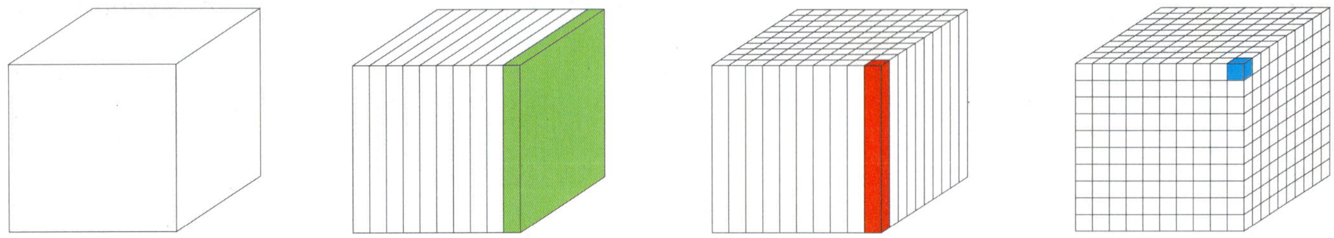

1 unidad $\quad \frac{1}{10} = 1$ décima $\quad \frac{1}{100} = 1$ centésima $\quad \frac{1}{1.000} = 1$ milésima

Los números decimales tienen dos partes separadas por una coma.

parte entera	parte decimal		
U	d	c	m
3,	4	3	5

parte entera = 3 — parte decimal = 0,435

El número 3,435 se descompone así: 3,435 = 3 + 0,4 + 0,03 + 0,005

3 unidades — 4 décimas — 3 centésimas — 5 milésimas

3 $\quad \frac{4}{10} = 0,4 \quad \frac{3}{100} = 0,03 \quad \frac{5}{1.000} = 0,005$

Observa que podemos expresar estas cantidades en forma decimal o de fracción.

El número 3,435 se puede leer como *3 unidades y 435 milésimas* o *3 coma 435*.

Un **número decimal** esta formado por una **parte entera** y una **parte decimal** separadas por una coma.

1 **Escribe la fracción y el número decimal que corresponde en cada caso.**

Ejemplo:

- 5 décimas = $\frac{5}{10}$ = 0,5
- 2 centésimas = $\frac{2}{100}$ = 0,02
- 6 milésimas = $\frac{6}{1.000}$ = 0,006

Ten en cuenta

$\frac{5}{10}, \frac{2}{100}$ y $\frac{6}{1.000}$ son fracciones decimales, porque el denominador es la unidad seguida de ceros.

7 décimas	8 centésimas	28 milésimas
14 décimas	95 centésimas	121 milésimas

2 Descompón los siguientes números decimales.

Ejemplo:
128,593 = 100 + 20 + 8 + 0,5 + 0,09 + 0,003

4,9 8,076 65,54 182,305

3 Completa en tu cuaderno.

3 unidades y 5 décimas = ••• décimas
7 unidades y 26 centésimas = ••• centésimas
11 unidades y 217 milésimas = ••• milésimas

4 Escribe con cifras y descompón en sus órdenes de unidades.

doce unidades y trece centésimas
noventa coma cero cuatro
cien unidades y ochenta y dos milésimas

Problemas

5 Álvaro ha pintado de rojo 4 décimas partes de su cuadro, 38 centésimas de azul, y 2 décimas de verde.

a) ¿Cuántas centésimas son rojas? ¿Y verdes?

b) ¿Qué parte del cuadro no ha coloreado?

6 ¿Qué número se esconde tras estas pistas? Lee atentamente y contesta en tu cuaderno.

- La parte entera es igual que la cifra de las décimas de 23,571.
- La cifra de las décimas es 0.
- Tiene la misma cifra de las centésimas que 18,040.
- La cifra de las milésimas es el resultado de sumar sus unidades y sus centésimas.

Taller de matemáticas manipulativas

Representar, leer y escribir números decimales

1.º Colocamos las tarjetas correspondientes en el SMdecimal.

Unidades	décimas	centésimas	milésimas

2.º Representamos el número 2,6.

Unidades	décimas	centésimas	milésimas
●●	●●●●●●		

El número 2,6 se lee *2 unidades y 6 décimas, 2 coma 6* o *26 décimas*.

3.º Representamos el número 4,28.

Unidades	décimas	centésimas	milésimas
●●●●	●●	●●●●●●●●	

El número 4,28 se lee *4 unidades, 2 décimas y 8 centésimas, 4 coma 28* o *428 centésimas*.

4.º Representamos el número 3,104.

Unidades	décimas	centésimas	milésimas
●●●	●		●●●●

El número 3,104 se lee *3 unidades, 1 décima y 4 milésimas, 3 coma 104* o *3.104 milésimas*.

1 Representa en el tablero y escribe con cifras en tu cuaderno estos números.

cuarenta y cinco décimas
cuatro coma cero cinco
cuatro unidades y cinco milésimas

2 Comparar y representar números decimales

Joaquín mide 1,45 m. ¿Puede subir en la atracción?

- Podemos **representar** los números decimales 1,42 y 1,45 en la recta numérica y compararlos.

1.º Situamos en la recta la cifra de las unidades y la unidad siguiente, y dividimos ese tramo en 10 partes iguales, que son las décimas.

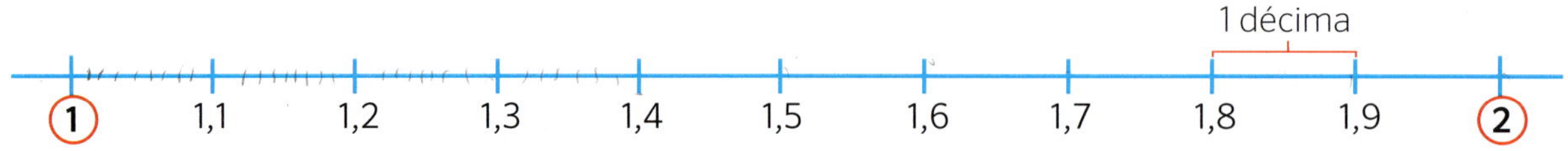

2.º Dividimos cada décima en 10 partes iguales, que son las centésimas, y situamos los dos números decimales.

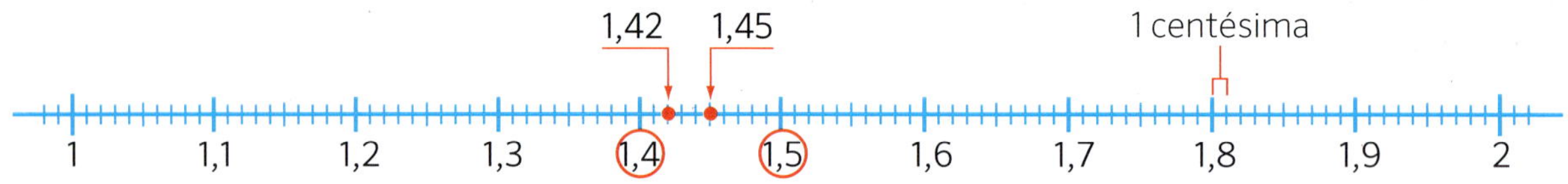

El menor de los números es el que está situado más a la izquierda. En este caso, 1,42.

- También podemos **comparar** los números decimales 1,42 y 1,45 fijándonos en sus cifras.

1.º Comparamos la parte entera de cada número.

U	d	c
1,	4	2
1,	4	5

1 U = 1 U
La parte entera coincide.

2.º Como la parte entera coincide, comparamos las décimas.

U	d	c
1,	4	2
1,	4	5

4 d = 4 d
Las décimas coinciden.

3.º Como las décimas coinciden, comparamos las centésimas.

U	d	c
1,	4	2
1,	4	5

2 c < 5 c
1,42 es menor que 1,45.

▶ Joaquín sí puede subir a la atracción, porque mide más de 1,42 cm.

7 ¿Qué número representa cada punto?

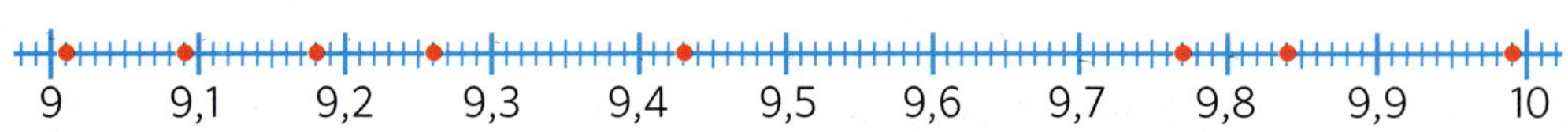

8 Representa estos números en una recta numérica. ¿Cuál es el mayor?

4,21 4,05 4,87 4,92 4,5 4,27 4,72

9 Compara estas parejas de números.

9,523 y 9,533 — 21,44 y 21,431 — 0,709 y 0,71

smSaviadigital.com PRACTICA Entra en la web y compara más números decimales.

10 Ordena estos números de menor a mayor.

8,003 — 86,5 — 8,02 — 8,2 — 0,865 — 82,2

11 Observa e indica si el razonamiento es correcto, y por qué.

número	parte entera	parte decimal
14,71	14	0,71
14,215	14	0,215

"14,71 es menor que 14,215, ya que tiene la misma parte entera y 0,71 es menor que 0,215".

12 Copia y completa con números decimales. Comprueba si has pensado los mismos que tu compañero.

5,06 < ●●● < 5,09 — 0,8 < ●●● < 0,806 — 16,99 < ●●● < ●●● < 18

13 Escribe un número mayor que 3,86 y menor que 4,05 cuya cifra de las décimas sea 9.

14 ¿Cuál de estos números no tiene el mismo valor que los demás?

A. 5,4 — **B.** 5,04 — **C.** 5,40 — **D.** 5,400

Nota Un cero a la derecha de la parte decimal no aporta valor.

2,1 = 2,10 = 2,100...

Problemas

15 Olga tiene 15 € y quiere comprar uno de estos objetos. ¿Cuáles de ellos podría comprar? ¿Cuál es el más barato? ¿Y el más caro?

Ten en cuenta

Las unidades de medida que acompañan a un número decimal, se refieren a la parte entera.

15,75 € son 15 € y 75 CENT.

16 Laura es más alta que Claudia, pero más baja que Eduardo. Además, la cifra de las décimas en su estatura es mayor que la cifra de las centésimas. ¿Cuánto mide Laura?

Nombre: Claudia López
Edad: 10
Estatura: 1,36 m

Nombre: Eduardo Martín
Edad: 10
Estatura: 1,43 m

A. 1,35 m — **B.** 1,37 m — **C.** 1,42 m — **D.** 1,45 m

3 Redondear números decimales

Jorge y Violeta han saltado aproximadamente lo mismo.

- Podemos redondear un número decimal utilizando la **recta numérica**. Miramos entre qué unidades, décimas o centésimas se encuentra, y tomamos la más cercana.

1,29 está comprendido entre 1 y 2. La unidad más próxima es **1**.

1,29 está comprendido entre 1,2 y 1,3. La décima más próxima es **1,3**.

- También podemos fijarnos en **sus cifras**.

Para **redondear a la unidad**, nos fijamos en la cifra de las décimas.
- Si es menor que 5, dejamos las unidades igual.
- Si es igual o mayor que 5, sumamos 1 a las unidades.

U	d	c
1,	2	9

→ 2 d < 5 d

1,29 aproximado a la unidad es **1**.

Para **redondear a la décima**, nos fijamos en la cifra de las centésimas.
- Si es menor que 5, dejamos las décimas igual.
- Si es igual o mayor que 5, sumamos 1 a las décimas.

U	d	c
1,	2	9

→ 9 c > 5 c

1,29 aproximado a la décima es **1,3**.

17 ¿Entre qué unidades se encuentran estos números? ¿Y entre qué décimas?

4,51 | 6,57 | 3,05 | 7,99 | 54,48

18 Redondea los números de la actividad anterior a la unidad y a la décima.

19 Completa esta tabla en tu cuaderno.

	redondeo a la unidad	redondeo a la décima
13,75	•••	•••
205,12	•••	•••
68,51	•••	•••

¿Sabías que...?

El diámetro de la Tierra es aproximadamente la centésima parte del diámetro del Sol.

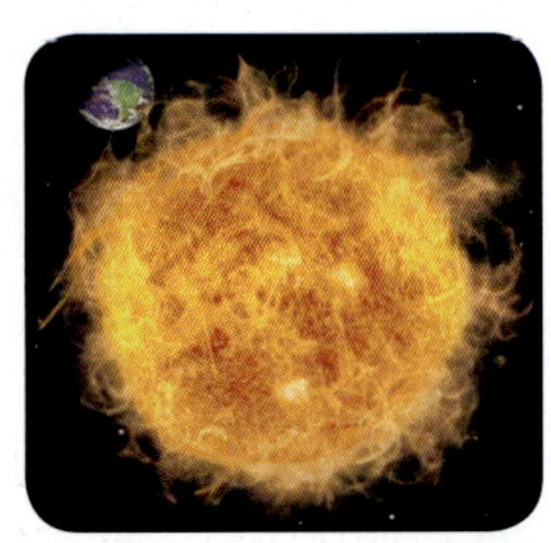

20 ¿Cuál es el resultado de redondear 14,358 a la centésima?

A. 14,4 **B.** 14,35 **C.** 14,36 **D.** 14

21 Completa esta tabla en tu cuaderno.

	9,823	80,057	27,729	201,153	0,934
redondeo a la décima	9,8	●●●	●●●	●●●	●●●
redondeo a la centésima	9,82	●●●	●●●	●●●	●●●

22 Indica a qué órdenes de unidades se ha redondeado el número 156,907 en los casos siguientes.

156,9 157 160 156,91

23 Piensa y escribe en tu cuaderno qué valores pueden tener las cifras que faltan.

- El número 14,?8 redondeado a la unidad es 14.
- El número 14,?8 redondeado a la unidad es 15.

24 ¿Qué números de dos cifras decimales tienen el número 23,4 como redondeo a la décima? Escríbelos ordenados de menor a mayor.

Problemas

25 Descubre quién ha aproximado bien el peso del gato.

Nota Recuerda que 85,91 g son 85 g y 91 cg.

26 Mireia y Héctor miden casi lo mismo, 1,6 m aproximadamente.

a) Observa estas alturas e indica cuáles de ellas podrían ser las de Mireia y Héctor.

1,59 1,42 1,63
1,75 1,57 1,50

b) Si Héctor es más alto que Mireia, ¿cuánto puede medir cada uno? Anota en tu cuaderno todas las posibilidades.

4 Comparar números

Estos alumnos han sacado la misma nota en un examen, pero a cada uno le han sumado una cantidad diferente por entregar un trabajo voluntario. ¿Quién ha sacado mejor nota?

Lorena | Pedro | Sergio | Alba

Para comparar las notas, representamos la cantidad que le han subido a cada uno en la recta numérica. Para ello, primero vemos cómo están escritas las notas:

Lorena: 0,7 → número decimal

Dividimos la unidad en 10 partes iguales y tomamos 7 décimas.

Sergio: 1 → número natural

Pedro: $\frac{1}{4}$ → fracción

Dividimos la unidad en 4 partes iguales y tomamos 1.

Alba: $\frac{1}{2}$ → fracción

Dividimos la unidad en 2 partes iguales y tomamos 1.

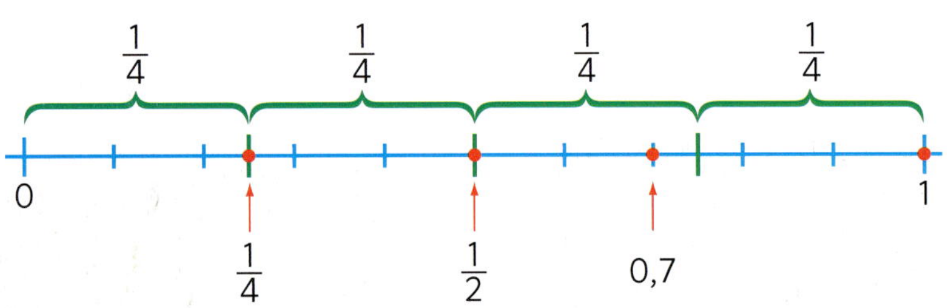

→ $\frac{1}{4} < \frac{1}{2} < 0{,}7 < 1$

▶ La mejor nota la ha sacado Sergio.

27 Compara los siguientes números.

$\frac{32}{8}$ y 4,25   0,7 y $\frac{6}{10}$ 12,307 y 13

25 y $\frac{72}{3}$ 0,5 y $\frac{2}{5}$ 0,6 y $\frac{2}{3}$

28 Ordena estos números de menor a mayor.

0,37 $\frac{3}{10}$ 0,42 $\frac{75}{15}$ $\frac{2}{5}$

ordena de mayor a menor.

29 Representa los siguientes números en una recta numérica. ¿Cuál es menor?

3,7 $\frac{450}{100}$ $\frac{48}{10}$ 4,2 5,1 $\frac{33}{11}$ $\frac{36}{9}$

Nota Una fracción decimal se puede representar como:

$\frac{65}{10}$ = 65 décimas = 6,5 unidades

30 Copia en tu cuaderno y completa con números decimales.

$7,8 < \cdots < \frac{18}{2}$ $\frac{42}{6} < \cdots < \frac{73}{10}$

$\frac{603}{100} < \cdots < \cdots < 6,45$ $\frac{16}{10} < \cdots < \cdots < \frac{46}{23}$

Compara tus resultados con los de tus compañeros.

31 ¿Cuál de estos números mixtos es mayor que 6,75?

A. $6\frac{6}{10}$ B. $6\frac{80}{100}$ C. $6\frac{1}{2}$ D. $6\frac{75}{100}$

smSaviadigital.com **PRACTICA** Entra en la web y compara distintos números.

32 Escribe en tu cuaderno.

- Un número decimal mayor que $\frac{8}{100}$.
- Una fracción menor que 2,378.
- Un número natural mayor que $\frac{36}{12}$ y menor que 4,25.

33 Indica en qué estantería hay más litros de zumo de naranja.

Problemas

34 Tina, Tomás y Leo han ido a recoger setas. Al final del día, la cesta de Tina pesa $\frac{3}{4}$ de kilo, y la de Tomás, 1,45 kg. La cesta de Leo pesa más que la de Tina y menos que la de Tomás. ¿Cuántos kilos de setas ha recogido Leo?

A. $\frac{120}{100}$ kg C. $\frac{28}{14}$ kg

B. 0,65 kg D. 1,5 kg

Problemas

Estrategia: Localizar los datos necesarios

En la final del campeonato de salto de altura han participado 5 alumnos, 2 de 5.º de Primaria y 3 de 6.º. El año pasado Iván saltó 1,11 m y ganó la medalla de oro, y Julia, 1,06 m y ganó la de plata.

Observa los saltos de este año y averigua quiénes han recibido las medallas de oro, de plata y de bronce.

- ¿Qué nos pide el problema?

  Averiguar quiénes han quedado primero, segundo y tercero en el campeonato.

  Jorge: 1,21 m | Julia: 1,02 m | Ángel: 0,95 m | Iván: 1,12 m | Luz: 1,09 m

- ¿Qué datos necesitamos?

  Necesitamos la altura que ha saltado cada participante. Encontramos los datos en el dibujo. Observa que los alumnos que participan, el curso al que pertenecen y la altura de los saltos del año pasado no son datos necesarios para resolver el problema.

- ¿Cómo se resuelve?

  Ordenamos de mayor a menor las alturas y nos fijamos en las tres primeras:

  1,21 m > 1,12 m > 1,09 m > 1,02 m > 0,95 m

▶ **Solución**: Jorge ganó la medalla de oro, Iván, la de plata, y Luz, la de bronce.

➲ Comprueba la solución dibujando la barra vertical del salto de altura y marcando en ella los datos de cada participante.

1 Estas son las puntuaciones de la semifinal de gimnasia obtenidas por los equipos de un colegio.

equipo A → 16,20
equipo B → 15,02
equipo C → 13,99
equipo D → 15,89
equipo E → 15,98
equipo F → 17,01

Si solo pasan 4 equipos a la final y cada uno está formado por 7 gimnastas, ¿qué equipos se clasificarán?

2 La prueba de salto de longitud se ha realizado en una pista de 10 m de largo y 4 m de ancho. ¿Quién ha quedado en tercer lugar?

saltador	distancia	peso
Mabel	2,17 m	43,5 kg
Andrea	1,84 m	42,7 kg
Rodrigo	1,93 m	44,3 kg
Lola	2,30 m	48,9 kg
Pedro	2,03 m	45,6 kg
Alex	2,40 m	40,5 kg
Deborah	2,36 m	41,2 kg
Gonzalo	1,95 m	39,8 kg

smSaviadigital.com
RESUELVE PROBLEMAS Paso a paso en la web.

Utiliza tus estrategias

1 ¿Qué productos puede comprar Inés si tiene 0,95 €?

2 En una prueba de lanzamiento de peso, 6 participantes han obtenido las siguientes marcas:

lanzador 1	25,293 m	lanzador 4	25,289 m
lanzador 2	25,3 m	lanzador 5	25,292 m
lanzador 3	25,29 m	lanzador 6	25,291 m

a) ¿Quién ha quedado en segundo lugar?

b) ¿Quién ha quedado en el último puesto?

3 Fidel agrupa sus monedas en montones de manera que el valor que hay en cada uno de ellos es de 1 €. ¿Qué montones ha podido hacer?

4 Izan tiene 3 hermanos y sus padres quieren comprar un sofá más largo. Estas son las medidas de los que han visto en la tienda.

A. 2,52 m C. 3,05 m

B. 2,50 m D. 2,10 m

a) ¿Cuáles son más largos que el suyo?

b) Si los sofás están en oferta y cuestan lo mismo, ¿cuál les recomendarías? Justifica tu respuesta.

5 Indica, en cada caso, qué número:

a) Es menor que 72,59 y mayor que 70,98.

A. 70,89 C. 72,60

B. 71,99 D. $\frac{219}{3}$

b) Es menor que 203,25 y mayor que 201,90.

A. 203,52 C. $\frac{2100}{10}$

B. 201,09 D. 202

c) Es mayor que 109,80 y menor que 111,36.

A. 109 C. 109,88

B. 111,63 D. $\frac{224}{2}$

Inventa un problema

6 Inventa un problema con estos datos. Utiliza el redondeo de decimales.

¿Tiene sentido?

7 Después de visitar varias tiendas, Mario decide comprar un juego por 27,60 €, porque es el más barato. Si el precio de los otros juegos era 29,99 € y 27,06 €, ¿ha elegido bien?

8 Celia dice que el número 5,3 tiene más de 3 décimas. ¿Es cierto? Justifica tu respuesta.

Matemáticamente

Cálculo mental

Multiplicar por decenas completas

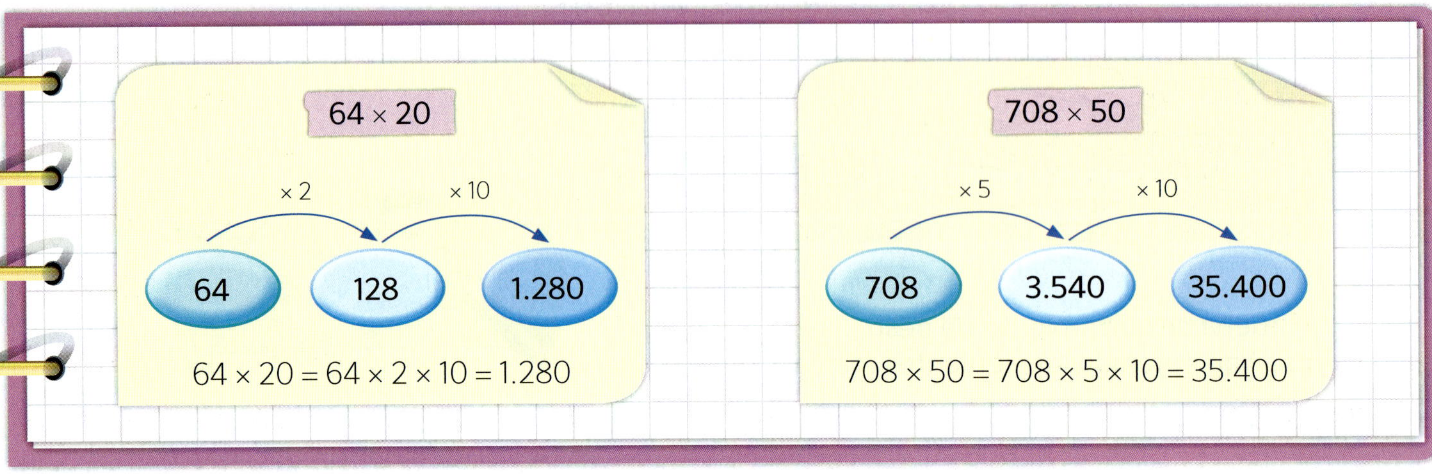

1. Copia y completa estas multiplicaciones.

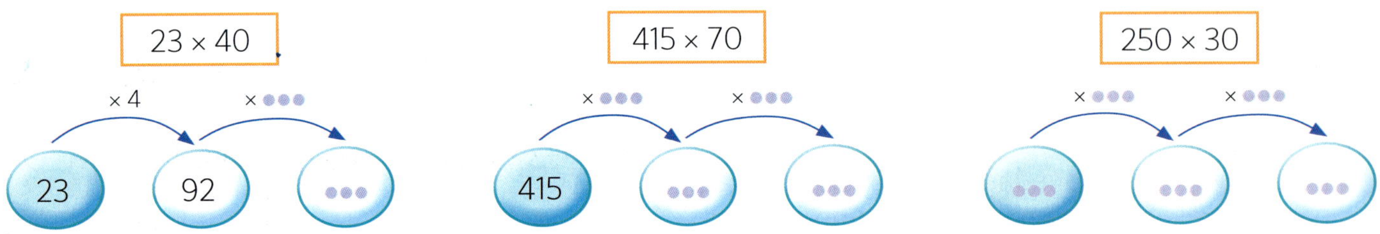

2. Utiliza la misma estrategia para resolver estas operaciones.

31 × 80 | 607 × 90 | 42 × 50

3. ¿Podrías resolver las multiplicaciones anteriores utilizando otra estrategia diferente? Explica los pasos.

4. Un apicultor tiene 642 colmenas. Si cada una produce 20 ℓ de miel al año, ¿cuántos litros producen en 10 años?

smSaviadigital.com
PRACTICA Utiliza esta estrategia de **cálculo mental.**

Retos matemáticos

1. Descubre qué cantidad tiene 3 milésimas más que el menor de todos estos números.

0,004 | 0,093 | 0,27 | 0,001 | 0,089 | 1,09 | 0,05

2. ¿Qué valor tiene cada cuadradito si la siguiente figura representa una centésima?

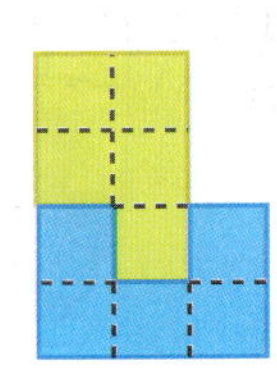

Repasa la unidad

Organiza tus ideas

Los números decimales

lectura y escritura

D	U	d	c	m
3	2,	6	2	5

- Parte entera → 32
- Parte decimal → 0,625

32 unidades y 625 milésimas

32 coma 625

comparación

U	d	c
1,	4	2
1,	4	5

1 U = 1 U y 4 d = 4 d

2 c < 5 c

1,42 < 1,45

redondeo

65,108

- A la decena → 70
- A la unidad → 65
- A la décima → 65,1
- A la centésima → 65,11

1 Expresa con una fracción y un número decimal la parte coloreada de cada figura.

a) 

b) 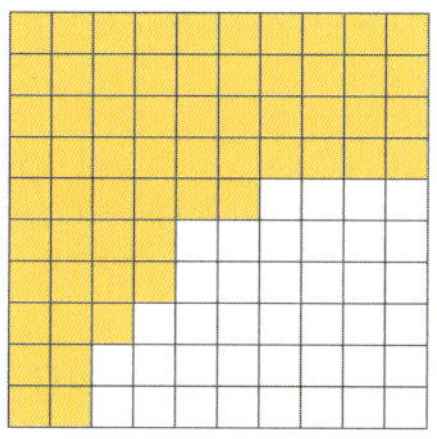

2 Escribe con cifras en tu cuaderno.

- Treinta coma cero cinco
- Setenta y cinco coma cuarenta y dos
- Dieciocho unidades y trece milésimas
- Cuatrocientas dieciséis centésimas

3 ¿Cómo se leen estos números decimales? Descomponlos en sus órdenes de unidades.

35,12 0,341 9,751 121,473 89,001

4 Ordena estos números de menor a mayor.

3,7 49,50 3,003 50,09 49,205

5 Copia la recta numérica y escribe el número decimal asociado a cada letra.

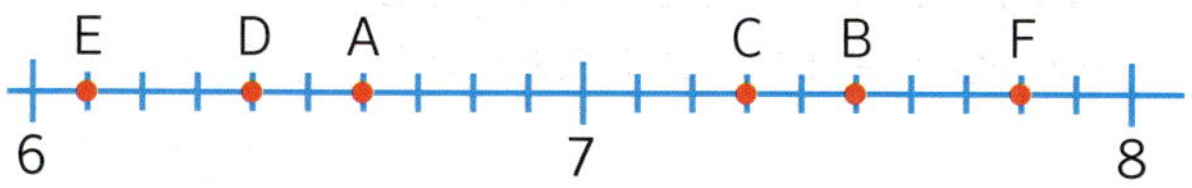

6 Aproxima los siguientes números a la unidad y a la décima.

25,52 26,701 27,359 25,14 29,73

7 Ordena los números de menor a mayor.

$\frac{231}{10}$ 23,091 $\frac{69}{3}$ 23,8 $\frac{2.354}{100}$

Problemas

8 El precio del libro que ha comprado Carolina tiene entre sus cifras una decena y cinco centésimas. ¿Cuál ha sido?

A. B. C.

9 Añade un cero al número 42,16 para obtener otro mayor. ¿Dónde pondrías el cero para obtener un número menor?

Vocabulario matemático

10 ¿Cuál es la palabra intrusa? Explica por qué.

décimas docena unidades
decena centésimas milésimas

smSaviadigital.com

VALORA LO APRENDIDO Comprueba lo que sabes en la **autoevaluación**.

Repasa las unidades

1 Ordena de mayor a menor estos números.

33.072.122 3.202.098 3.200.520

2 Resuelve estas operaciones y comprueba los resultados con la calculadora.

52.702 + 1.057 + 1.937.594

3.565 × 306

60.580 – (53.483 – 14.012)

32.625 : 15

3 Escribe todos los divisores de los siguientes números. Indica si son primos o compuestos.

5 9 16 33 45

4 Resuelve estas operaciones.

$\frac{4}{3} - \frac{2}{3} + \frac{1}{5}$

$2 \times \left(\frac{4}{3} - \frac{5}{7}\right)$

$3 \times \left(\frac{1}{4} + \frac{6}{10}\right)$

$\frac{11}{3} - \left(\frac{1}{2} + \frac{3}{5}\right)$

5 Calcula.

$\frac{3}{8}$ de 2.000 $\frac{2}{5}$ de 8.315 $\frac{5}{7}$ de 1.701

6 ¿Qué fracción y qué número decimal corresponden en cada caso?

12 décimas 47 centésimas 75 milésimas

7 Escribe con cifras los siguientes números.

- Doce unidades y doscientas una milésimas
- Ciento treinta coma cinco
- Veintidós centésimas
- Cero coma cero treinta y tres

8 Compara las siguientes parejas de números.

63,732 y 63,73

94,736 y 95,34

0,89 y 0,9

210,104 y 210,032

9 Aproxima estos números a la décima.

25,52 6,401 10,359 0,53

10 Ordena los números de mayor a menor.

12,079 $\frac{52}{4}$ 12,53 $\frac{1.216}{100}$

Problemas

11 Eloy quiere comprar uno de estos libros con parte del dinero que tiene ahorrado.

a) ¿Qué libro elegirá si quiere comprar el más barato?

b) Si quiere gastar 15 €, que es un tercio del dinero que ha ahorrado, ¿cuánto dinero tiene en total?

c) Al final encuentra un libro que cuesta 24 € y esta rebajado un 25 %. ¿Puede comprarlo con los 15 €?

12 Observa este mapa.

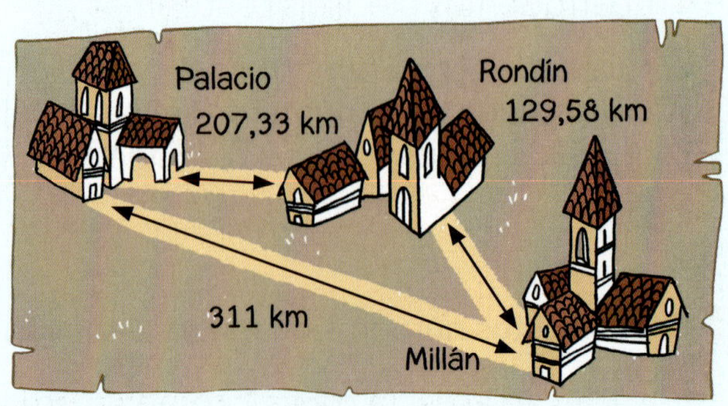

a) ¿Qué rutas podemos elegir para ir de Palacio a Millán?

b) Redondea las distancias a las unidades. ¿Qué camino es más corto para ir de Palacio a Millán?

c) Redondea las distancias a las centenas. ¿Qué camino es más corto ahora?

Ponte a prueba

Analiza los precios

1 Observa el escaparate.

a) ¿Cuánto parece que cuesta cada prenda a primera vista? ¿Y cuánto cuesta en realidad?

b) Redondea a la unidad el precio de cada artículo.

c) ¿Qué observas si comparas los precios aproximados y los exactos? ¿Por qué crees que han escrito la parte decimal a menor tamaño?

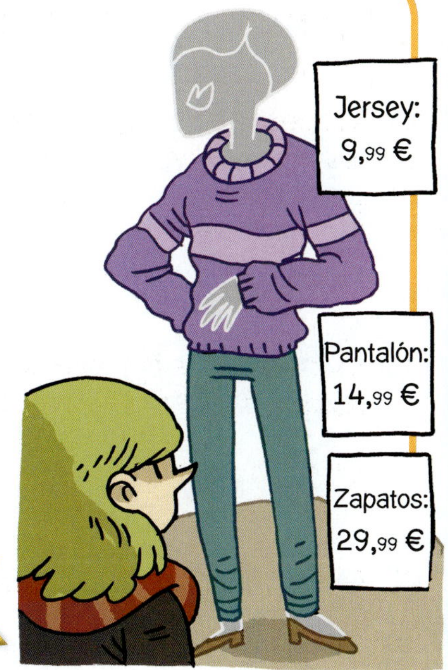

2 ¿Cuál de estos carteles podrían colocar en la tienda para hacer publicidad? Explica por qué.

A. prendas desde 10 €

B. todo a menos de 30 €

C. todo a 9 €, 14 € y 29 €

Tarea final Salta, mide y ordena

PASO 1 En equipos de 5, realizad saltos con los pies juntos.

Medid y anotad vuestras marcas.

PASO 2 Después de todos los saltos, ordenad las medidas de menor a mayor en una tabla como esta.

saltador	●●●	●●●	●●●	●●●	●●●
medida	●●●	●●●	●●●	●●●	●●●

PASO 3 Realizad un mural con los datos de vuestro equipo.

Incluid una recta numérica con vuestras marcas.

PASO 4 Reflexionad sobre vuestro trabajo en equipo.

- ¿Os habéis ayudado?
- ¿Habéis aprendido juntos?

smSaviadigital.com
VALORA LO APRENDIDO ¿Cómo has trabajado en esta tarea?

unidad

6 Operar con números decimales

¡Qué importante es... el consumo responsable!

Un paso importante para consumir de manera responsable es estimar si el precio de algo se ajusta realmente a su valor y, por tanto, si merece la pena comprarlo o no.

Tarea final

Al final de la unidad, analizarás los gastos que hay detrás de un billete de autobús y estimarás cuál debería ser su coste.

¿Cuánto se ahorra al caminar?

Al salir del colegio, María, una niña de 11 años, y su padre deciden regresar a pie en lugar de en autobús. Mientras pasean, María le propone un trato: si consigue calcular cuánto ahorran del billete de autobús, podrá utilizar ese dinero como quiera.

—A ver, si un billete cuesta 1,20 € —pensó María en voz alta—dos billetes cuestan 2,40 €. Ahorraremos 2,40 €.

—¿Estás haciendo trampa? —le preguntó su padre—. Creía que aún no sabías multiplicar números decimales.

—Y aún no sé —contestó María—. Pero sé sumar decimales y, como multiplicar por 2 es sumar dos veces, no he tenido más que sumar 1,20 y 1,20.

—¡Muy astuta! —exclamó su padre—. Entonces, ¿cuánto ahorraremos los veinte días de clase que hay este mes?

—¿Crees que no voy a poder sumar 2,40 veinte veces? Pues, te voy a sorprender. Ahorraremos 48 € al mes. ¿Quieres saber cómo lo he averiguado? —preguntó María impaciente por explicar sus cálculos—. Basta con pasar los 2,40 € a céntimos y multiplicar por veinte. El resultado es 4.800 céntimos, es decir, 48 €.

—¡Es correcto! Realmente me has sorprendido. Pero creo que, aunque calcules como una gran matemática, aún eres pequeña para gastar ese dinero.

—¡Qué rabia! —se lamentó María—. Pensaba sorprenderte con un regalo.

RAFAEL RAMÍREZ UCLÉS

Hablamos

1. ¿Cuál es el trato que le propone María a su padre? ¿Para qué quiere María el dinero?
2. ¿Cuánto ahorran cada día? ¿Y en un mes?
3. ¿Cómo calcula María cuánto dinero ahorran? ¿Podría hacerlo de otras maneras? Explica cuáles.

1 Sumar y restar números decimales

Cristina compra un ordenador y una memoria USB. ¿Cuánto tendrá que pagar por los dos artículos?

Para averiguarlo, sumamos 675,89 y 22,30.

1.º Colocamos los números de manera que coincidan las cifras del mismo orden.

	C	D	U	d	c
	6	7	5,	8	9
+		2	2,	3	0

2.º Sumamos y escribimos una coma en el resultado, alineada con las otras comas.

	C	D	U	d	c
	6	7	5,	8	9
+		2	2,	3	0
	6	9	8,	1	9

▶ Tendrá que pagar 698,19 €.

¿Cuánto dinero le devuelven si paga 700 €?

Para calcularlo, restamos 700 – 698,19.

1.º Colocamos los números alineados por la coma. Si faltan cifras decimales, añadimos ceros.

	C	D	U	d	c
	7	0	0,	0	0
–	6	9	8,	1	9

2.º Restamos y escribimos una coma en el resultado, alineada con las otras comas.

	C	D	U	d	c
	7	0	0,	0	0
–	6	9	8,	1	9
	0	0	1,	8	1

▶ Le devuelven 1,81 €.

Para **sumar** o **restar números decimales**, colocamos los números de manera que coincidan las cifras del mismo orden y operamos como si fueran números naturales. A continuación, escribimos una coma en el resultado, bajo la columna de las comas.

1 **Coloca y calcula.**

13,72 + 25,27   449,662 – 301   109,087 + 23,91   864,2 – 98,37

2 **Completa en tu cuaderno las cifras que faltan.**

	C	D	U	d	c	m
	•	5	9,	•	9	7
+	2	8	•,	9	0	•
	9	•	3,	1	•	1

	C	D	U	d	c	m
	3	5	6,	7	•	4
–		4	•,	2	1	•
	3	•	9,	•	2	2

3 Copia la tabla y averigua los términos que faltan.

minuendo	sustraendo	diferencia
723,8	421,65	•••
186,005	•••	33,64
•••	915,46	574,12

smSaviadigital.com **PRACTICA** Entra en la web y suma y resta números decimales.

4 ¿Cuáles son los resultados de estas operaciones? Ordénalos de mayor a menor.

72,387 + 487,2 – 306,65

2.489 – (643,23 + 208,7)

7.084 + 66,74 – 32,988

963,055 – 822,76 + 341,01

5 Piensa y escribe en tu cuaderno diez números para cada serie.

Parto de 5 y sumo 0,2.

Parto de 100 y resto 0,2.

Parto de 10,5 y sumo 1,1.

Parto de 20,3 y resto 1,1.

Problemas

6 Andrea ha gastado 2,30 € en un helado y 1,95 € en un refresco. Si ha pagado con 20 €, ¿qué operación realiza para saber cuánto le devuelven?

A. 20 – 2,30 + 1,95

B. 20 – 2,30 – 1,95

C. 20 – (2,30 +1,95)

D. B y C son correctas.

7 Teresa va a viajar en avión. Su equipaje está compuesto por una bolsa que pesa 3,654 kg, una mochila de 8,5 kg y una maleta de 23,54 kg. Si el máximo permitido por persona son 32 kg, ¿cuántos kilos le sobran?

8 Un ascensor admite hasta 150 kg de peso. Víctor pesa 62,5 kg. Va con su hermano que pesa 73,9 kg, y dos bultos de 22,6 kg y 24,88 kg, respectivamente. ¿Qué tendrá que hacer para subir toda la carga si vive en el 8.º piso?

9 Si después de pagar los recibos me quedan 786,22 €, ¿cuánto dinero tenía en la cuenta del banco?

A. 1.305,85 €

B. 1.035,85 €

C. 1.503,58 €

D. 1.350,58 €

Recibo bancario

Recibo del agua .... 42,05 €

Recibo de la luz .... 120,46 €

Recibo del gas .... 87,12 €

2 Multiplicar con números decimales

La entrenadora de baloncesto de un colegio ha comprado 9 camisetas para su equipo. ¿Cuánto le han costado?

Para averiguarlo, multiplicamos 10,95 × 9.

1.º Multiplicamos sin tener en cuenta las comas, como si fueran números naturales.

$$\begin{array}{r} 10{,}95 \\ \times \quad 9 \\ \hline 9855 \end{array}$$

2.º En el resultado, separamos con una coma tantas cifras como decimales tenga el factor decimal, empezando por la derecha.

$$\begin{array}{rl} 10{,}95 & \leftarrow \text{2 cifras decimales} \\ \times \quad 9 & \\ \hline 98{,}55 & \leftarrow \text{2 cifras decimales} \end{array}$$

▶ Las camisetas le han costado 98,55 €.

Para **multiplicar un número decimal por otro natural**, multiplicamos como si fueran naturales. En el resultado, separamos con una coma tantas cifras como decimales tenga el factor decimal, empezando por la derecha.

10 Sin realizar las multiplicaciones, indica cuántos decimales tiene el producto en cada caso.

$$\begin{array}{r} 9{,}41 \\ \times \quad 8 \\ \hline \cdots \end{array} \qquad \begin{array}{r} 35{,}8 \\ \times \quad 96 \\ \hline \cdots \end{array} \qquad \begin{array}{r} 52{,}4 \\ \times \quad 12 \\ \hline \cdots \end{array} \qquad \begin{array}{r} 8{,}05 \\ \times \; 374 \\ \hline \cdots \end{array}$$

11 Estima el resultado de estas operaciones aproximando el primer factor a las unidades.

652,3 × 10   163,684 × 1,5   403,926 × 2,5

12 Comprueba que los productos son iguales. Indica qué propiedad se cumple en cada caso.

389 × 5,3 y 5,3 × 389

(5 × 4) × 12,34 y 5 × (4 × 12,34)

Ten en cuenta

La multiplicación cumple estas propiedades:
- conmutativa
- asociativa
- distributiva

13 Resuelve cada operación e indica qué propiedad utilizas.

(4,38 + 0,62) × 3   2 × 9,42 – 2 × 5,52   (99,2 – 67,8) × 8

14 ¿Cuáles de las siguientes operaciones dan el mismo resultado?

a) 7,12 × 7 – 8,2 × 3

b) (5 + 23) × 3,5 + 4,08

c) 53,98 – 4,5 × 9 + 11,76

d) 6 × (64,2 – 12,49) – 12

A. a y c **B.** a y d **C.** b y c **D.** a, b y d

Nota Recuerda el orden de las operaciones en una expresión combinada.

15 Sin hacer las operaciones, ¿cómo podrías saber cuál es el producto de cada multiplicación?

84 × 1,2	6,48 × 21	322 × 0,6
136,08	100,8	193,2

Comenta con tus compañeros la estrategia que has utilizado. ¿Coinciden?

Problemas

16 Un paquete de cuatro yogures se vende a 2,96 €. Si un solo yogur cuesta 0,75 €, ¿cuanto se ahorra al comprar el paquete de cuatro?

17 Carmen corre cada día 3.525 yardas. Si una yarda son 0,914 m, ¿cuántos metros recorre aproximadamente?

smSaviadigital.com PRACTICA Entra en la web y multiplica números naturales y decimales.

18 Cada lata de tomate pesa 1,125 kg. Si una lata vacía pesa 0,145 kg, ¿cuántos kilos de tomate caben en 3 latas?

19 En su cumpleaños, Teo va a repartir chocolatinas a sus 26 compañeros de clase. Cada chocolatina le ha costado 0,85 €.

a) ¿Cuánto ha pagado en total?

b) ¿Cuánto le devuelven si entrega 2 billetes de 20 €?

20 Para adornar cajas de regalo, Sandra ha utilizado 6 rollos de cinta de 1,25 m cada uno y 2 rollos de 2,45 m cada uno. ¿Cuántos metros de cinta ha necesitado en total?

3 Divisiones con cociente decimal

María José ha comprado 3 ℓ de zumo de naranja envasados en 4 botellas iguales. ¿Qué cantidad hay en cada botella?

Para saberlo, dividimos 3 : 4.

1.º Como no podemos repartir 3 entre 4, escribimos un 0 en el cociente.

U

3 ⌊4
  0

Sobran 3 unidades, que son 30 décimas.

2.º Escribimos una coma en el cociente y dividimos 30 décimas entre 4.

U	d

3, 0 ⌊4
   2   0, 7

Sobran 2 décimas, que son 20 centésimas.

3.º Como sobran 20 centésimas, dividimos 20 entre 4.

U	d	c

3, 0 ⌊4
   2 0   0, 7 5
     0

Como el resto es 0, la división ha terminado.

▶ Hay 0,75 ℓ en cada botella.

Javier reparte 5,25 ℓ de aceite entre 3 botellas iguales. ¿Qué cantidad de aceite tiene cada una?

Para averiguarlo, dividimos 5,25 : 3.

1.º Dividimos 5 unidades entre 3.

U	d	c

5, 2 5 ⌊3
2   1

Sobran 2 unidades, que son 20 décimas.

2.º Bajamos la cifra de las décimas y escribimos una coma en el cociente. Dividimos 22 entre 3.

U	d	c

5, 2 5 ⌊3
2 2   1, 7
  1

Sobra 1 décima, que son 10 centésimas.

3.º Bajamos la cifra de las centésimas. Dividimos 15 entre 3.

U	d	c

5, 2 5 ⌊3
2 2   1, 7 5
  1 5
    0

Como el resto es 0, la división ha terminado.

▶ En cada botella pondrá 1,75 ℓ.

21 Divide hasta que el resto sea cero.

7 : 5 | 15 : 6 | 45 : 20 | 140 : 56 | 120 : 150

22 Comprueba con la calculadora, sin utilizar la tecla de la división, que las divisiones de la actividad anterior están bien hechas.

Ten en cuenta

4, 0 ⌊7
  5 0   0, 5 7
    1

resto = 0,01 o una centésima

23 Divide el numerador entre el denominador de estas fracciones. Escribe el número decimal correspondiente.

$\frac{5}{4} = 5 : 4 =$ •••

$\frac{18}{4} =$ ••• : ••• = •••

$\frac{27}{20} =$ ••• : ••• = •••

24 Ordena de mayor a menor las siguientes cantidades.

$\frac{24}{5}$ $2\frac{6}{5}$ 3,78   4,504 $3\frac{12}{10}$ $\frac{14}{4}$ 2,92

smSaviadigital.com

PRACTICA Entra en la web y practica las divisiones con cociente decimal.

25 Copia la tabla en tu cuaderno y completa.

dividendo	10,4	•••	372,6	•••
divisor	4	8	12	24
cociente	•••	5,27	•••	22,44

26 Averigua cuáles de estas divisiones están mal resueltas y corrígelas.

19 : 5 = 3,08   13 : 20 = 0,65   45,8 : 4 = 1,145

27 Sin hacer las divisiones, ¿sabrías decir cuál de ellas no puede ser exacta?

A. 525 : 5   B. 24.075 : 75   C. 547,35 : 615   D. 300 : 12

Problemas

28 ¿Cuál es el precio de un portaminas en cada caso?

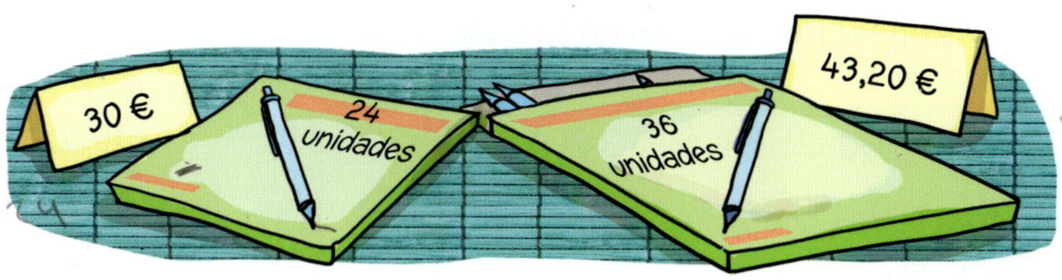

29 Mara ha recogido 12,8 kg de cerezas. La mitad la reparte en partes iguales en 5 bolsas, y la otra mitad, en 2 cajas. ¿Qué cantidad tiene cada bolsa y cada caja?

30 Ricardo llena 12 botes iguales con 21 ℓ de pintura. ¿Cuántos litros de pintura necesita Adela para llenar 25 botes como los de Ricardo?

4 Multiplicar y dividir por 10, 100, 1.000...

Raúl quiere saber cómo multiplicar o dividir un número decimal por la unidad seguida de ceros de forma sencilla.

Observa cómo podemos hacerlo.

multiplicar por 10, 100, 1.000...

4,56 × 10 = 45,6 — una posición

4,56 × 100 = 456 — dos posiciones

4,56 × 1.000 = 4.560 — tres posiciones

dividir entre 10, 100, 1.000...

4,56 : 10 = 0,456 — una posición

4,56 : 100 = 0,0456 — dos posiciones

4,56 : 1.000 = 0,00456 — tres posiciones

Se completa con ceros si es necesario.

Para **multiplicar un número decimal por 10, 100, 1.000...** desplazamos la coma hacia la derecha tantas posiciones como ceros acompañan a la unidad.

Para **dividir un número decimal entre 10, 100, 1.000...** desplazamos la coma hacia la izquierda tantas posiciones como ceros acompañan a la unidad.

31 ¿Qué números se obtienen al multiplicar por 10, 100 y 1.000 en cada caso? Copia y completa la tabla.

×	3,25	61,18	128,321	0,085	12,3
10	●●●	●●●	●●●	●●●	●●●
100	●●●	●●●	●●●	●●●	●●●
1.000	●●●	●●●	●●●	●●●	●●●

32 ¿Cuál es el cociente de estas divisiones? Resuélvelas en tu cuaderno.

684,33 : 10	128,45 : 100	3.754,9 : 1.000
12,3 : 10	6,05 : 100	951,4 : 1.000
1,13 : 10	92,4 : 100	71,5 : 1.000

33 ¿Crees que es útil usar la calculadora para resolver las divisiones de la actividad anterior? Explica por qué.

34 ¿Cuál de estas igualdades no es correcta? Corrígela en tu cuaderno.

A. 85,36 × 100 = 8.536

B. 12,25 × 10.000 = 122.500

C. 675,92 : 1.000 = 6,7592

D. 903,8 : 10.000 = 0,09038

35 Expresa estas cantidades en céntimos.

4,30 €	12,50 €	0,05 €
23 €	7,95 €	0,10 €

Ten en cuenta

1 € = 100 CENT

36 Expresa estas fracciones como un número decimal. Explica por escrito cómo lo has hecho.

$\frac{7}{10}$ $\frac{334}{100}$ $\frac{4.852}{1.000}$ $\frac{287}{100}$ $\frac{9.341}{10.000}$

37 Indica en tu cuaderno por qué cantidad hay que multiplicar o dividir en cada caso el número 325.

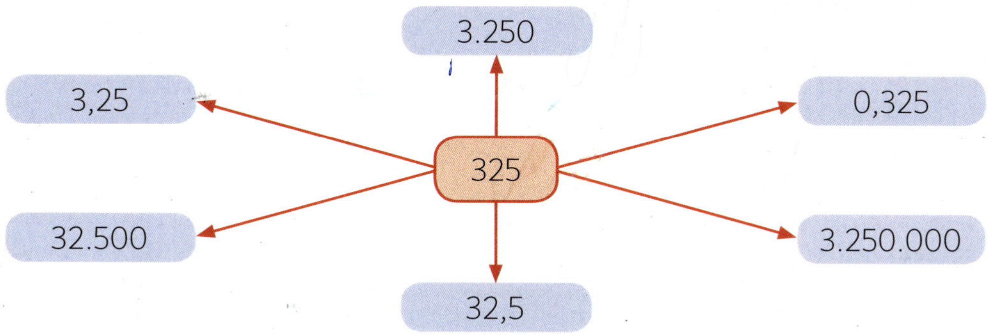

38 Por parejas, resolved estas operaciones y explicad cómo lo habéis hecho.

6,32 × 200   7,3 × 60   32,6 × 30   5,76 × 400

Problemas

39 Estos son los carteles de tres tiendas. ¿En cuál sale más barata la fotocopia?

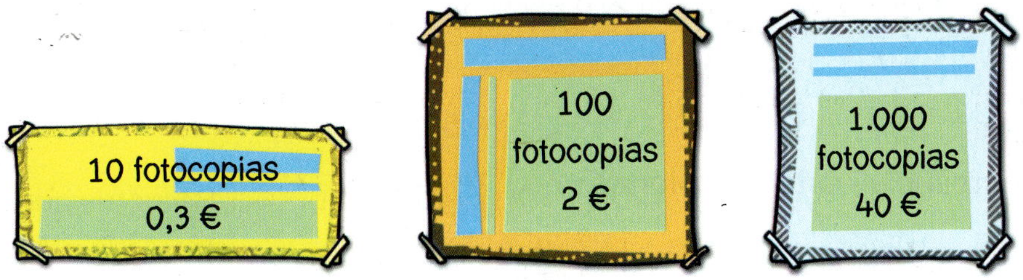

40 Un billete sencillo de tren cuesta 1,75 €, y un bono de 10 viajes, 12,50 €. ¿En qué caso es más barato el viaje? ¿Cuánto dinero se ahorra?

41 Un agricultor recibe 0,32 € por cada kilogramo de manzanas, y 0,41 € por cada kilogramo de peras. Si esta ha sido la cosecha de hoy, ¿cuánto dinero ha recibido en total? Explica qué operaciones has realizado.

Divisiones entre números decimales

Para un trabajo de plástica, Marta y Nicolás cortan trozos de cuerda de 0,25 m de un rollo de 12,5 m. ¿Cuántos trozos podrán cortar?

Para calcularlo, dividimos 12,5 : 0,25.

1.º Escribimos una división equivalente sin decimales en el divisor.

12,5 : 0,25 → (× 100) → 1.250 : 25

Multiplicamos el dividendo y el divisor por la unidad seguida de tantos ceros como cifras decimales tenga el divisor.

2.º Resolvemos la división equivalente.

```
1 2 5 0 |2 5
0 0 0    5 0
    0
```

1.250 : 25 = 50

3.º Escribimos la división inicial y su resultado.

1.250 : 25 = 50 → (: 100) → 12,5 : 0,25 = 50

El resultado es el mismo porque las divisiones equivalentes tienen el mismo cociente.

▶ Podrán cortar 50 trozos.

Para **dividir números decimales**, transformamos la división en otra equivalente sin decimales en el divisor. Para ello, multiplicamos el dividendo y el divisor por la unidad seguida de tantos ceros como cifras decimales tenga el divisor.

42 Transforma estas situaciones en una división.

- Hacer hamburguesas de 0,250 kg con 5 kg de carne.
- En 382,2 km encontrar una gasolinera cada 54,6 km.

43 Escribe la división equivalente y resuelve estas divisiones.

16 : 0,2 | 45 : 0,03 | 15,2 : 1,6 | 0,624 : 0,52

Nota Recuerda que:
16 = 16,0 = 16,00

44 ¿Qué números faltan en estas divisiones? Copia y resuelve.

3,9 : 2,6 = 39 : 26 = ●●●

11,872 : 2,12 = 1.187,2 : ●●● = ●●●

2,275 : 0,65 = ●●● : 65 = ●●●

58,714 : 6,2 = ●●● : ●●● = ●●●

45 Comprueba con la calculadora, sin utilizar la tecla de dividir, que las operaciones de la actividad anterior están bien hechas.

46 ¿Cuál de estas afirmaciones es cierta? Corrige las falsas.

A. Para dividir dos números decimales, transformamos la división en otra equivalente sin decimales en el dividendo ni en el divisor.

B. Para dividir 20,35 : 1,8 primero transformamos la división en otra equivalente multiplicando el dividendo por 100 y el divisor por 10.

C. El resto de 483,75 : 2,15 es cero.

D. Dos divisiones son equivalentes si tienen el mismo resto.

47 Fíjate en el ejemplo y realiza las divisiones.

Ejemplo:
21,2 : 0,01 = 2.120 : 1 = 2.120

7,62 : 0,1	8,124 : 0,01	55,2 : 0,001
13,8 : 0,1	52,85 : 0,01	15,033 : 0,001

48 Junto a un compañero, escribe una regla sencilla para calcular las divisiones de la actividad anterior.

Problemas

49 Martín tiene 15 € para comprar botellas de leche. Si cada botella cuesta 0,75 €, ¿cuántas podrá comprar?

50 ¿Cuál de estos envases es el más económico?

51 Un carro que contiene varias cajas de galletas de 1,250 kg pesa 32,4 kg. ¿Cuántas cajas contiene si el carro vacío pesa 1,15 kg?

Taller de matemáticas manipulativas

Dividir con fichas

Dividimos 528 : 0,4.

1.º Aplicamos la propiedad fundamental de la división para eliminar la coma del divisor.

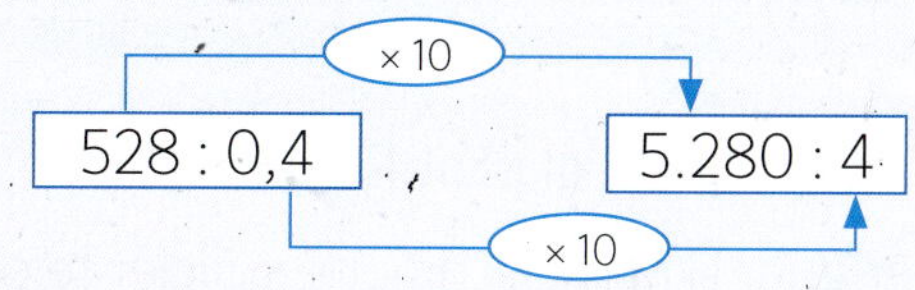

2.º Representamos el nuevo dividendo, 5.280, en el tablero y hacemos grupos de 4 fichas.

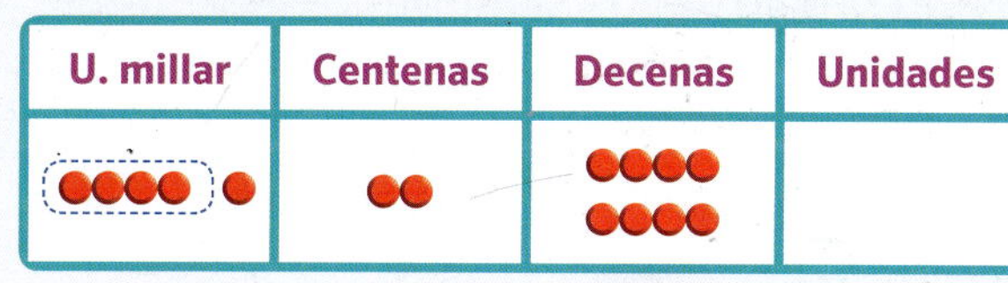

Hacemos 1 grupo de 4 fichas en las unidades de millar y sobra 1.

3.º Cambiamos la ficha que sobra en los millares por 10 fichas en las centenas.

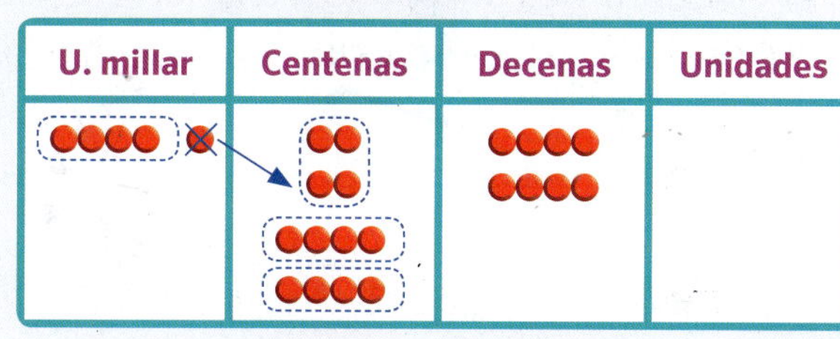

Con las 12 fichas de las centenas, hacemos 3 grupos de 4 fichas y no sobra ninguna.

4.º Agrupamos las fichas de las decenas.

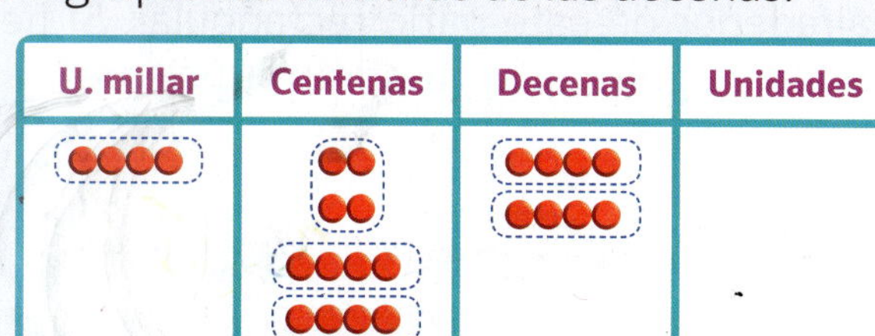

1 3 2 0

Resultan 2 grupos de 4 fichas y no sobra ninguna.

Por tanto, 528 : 0,4 = 1.320 y el resto es 0.

1 Resolved por parejas.

240 : 0,6 279 : 0,3 13,2 : 0,2

Problemas

Estrategia: Estimar el resultado

Francisco compra en un supermercado 4 kg de naranjas, 2 kg de carne y 1 *brick* de leche. Si lleva 35 €, ¿tendrá suficiente dinero?

- ¿Qué nos pide el problema?

  Averiguar si Francisco tiene suficiente dinero para pagar la compra.

- ¿Qué datos necesitamos?

  - Los alimentos que compra: 4 kg de naranjas, 2 kg de carne y 1 *brick* de leche.
  - El precio de los alimentos:

naranjas	carne	leche
0,95 € el kilo	13,15 € el kilo	1,02 € el *brick*

- ¿Cómo se resuelve?

  1.º Calculamos el precio aproximado de cada producto.

  1 kg de naranjas → 1 €   1 kg de carne → 13 €   1 *brick* de leche → 1 €

  2.º Obtenemos el coste aproximado de la compra: $4 \times 1 € + 2 \times 13 € + 1 € = 31 €$

  3.º Comparamos el coste aproximado de la compra con el dinero que lleva Francisco: $31 € < 35 €$.

▶ **Solución:** Francisco tendrá suficiente dinero para pagar la compra.

➲ Calcula el precio real de la compra y compáralo con el precio aproximado. ¿Qué observas?

1 Catalina y Miguel quieren colocar guirnaldas alrededor de este patio rectangular. Si tienen 80 m de guirnalda, ¿tendrán suficiente?

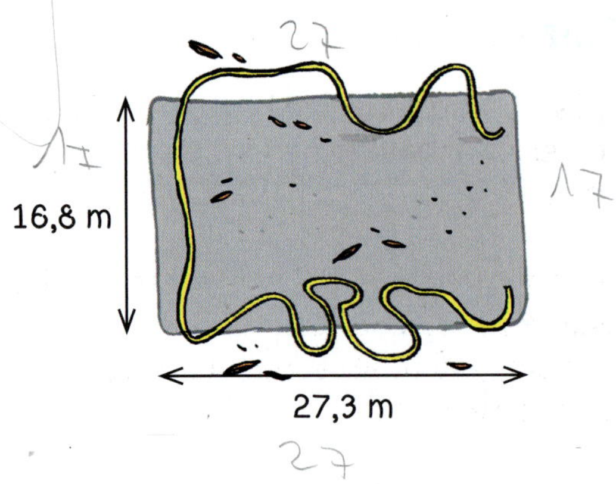

2 Si la carga máxima de un ascensor es 200 kg, ¿podrá subir toda la familia?

El perro de la familia pesa 13,4 kg. ¿Podrá subir con ellos?

smSaviadigital.com
RESUELVE PROBLEMAS Paso a paso en la web.

Utiliza tus estrategias

1. Un periódico cuesta 1,20 € todos los días menos el domingo, que cuesta 2,25 €. ¿Cuánto dinero gastará Iker si lo compra durante 4 semanas?

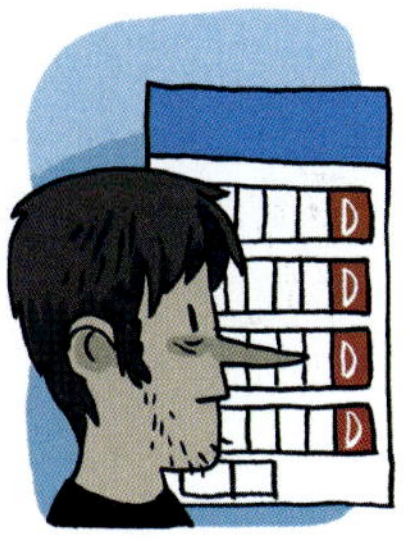

2. Un grupo de 100 personas contrata un viaje. El precio por persona es de 42,90 € por el alojamiento, 56 € por las comidas y 27,50 € por las visitas culturales. ¿Cuánto les costará el viaje en total?

3. La clase de 5º ha recaudado 607,5 € vendiendo papeletas para un sorteo benéfico. Si el precio de una papeleta es 2,5 €, ¿cuántas papeletas han vendido?

4. ¿Cuál de estas bolsas de mandarinas comprarías? Explica por qué.

5. Si un elefante adulto come 125,3 kg de comida en un día, ¿cuántos kilos come en una semana?

A. 17,9 kg

B. 877 kg

C. 877,1 kg

D. 87,71 kg

6. En una cafetería han servido 45 cafés y 30 tostadas en una mañana. ¿Cuánto dinero han recaudado en los desayunos?

A. 800,25 €

B. 81 €

C. 80,25 €

D. 77,25 €

7. Rafael compra un televisor por 825,75 € y lo paga en 3 plazos mensuales iguales. ¿Cuánto pagará cada mes?

A. 275 €

B. 270,25 €

C. 275,35 €

D. 275,25 €

8. ¿Cuántas barras de pan de 0,95 € ha vendido Pilar si ha recaudado 121,60 €?

A. 125 barras

B. 128 barras

C. 12,8 barras

D. 120 barras

Inventa un problema

9. Fíjate en las distancias marcadas en este plano. Inventa y resuelve un problema cuya solución sea: *La distancia es 4 km aproximadamente.*

¿Tiene sentido?

10. ¿Es posible llenar un bidón de 25 ℓ vaciando en él el contenido de 10 botellas de un litro y medio?

11. Candela reparte 15 € en partes iguales entre sus 4 hijos. Si a cada uno le ha dado 3 € y medio, ¿ha realizado bien el reparto? Justifica tu respuesta.

12. Félix invita a 3 amigos al cine. Dice que ha pagado 20,50 € en total. Si cada entrada cuesta 6,50 €, ¿es posible?

Matemáticamente

Cálculo mental Sumar números decimales

3,25 + 0,50

3 + 0 = 3

0,25 + 0,50 = 0,75

3,25 + 0,50 = 3,75

6,50 + 2,75

6 + 2 = 8

0,50 + 0,75 = 1 + 0,25

6,50 + 2,75 = 9,25

1 Aplica la estrategia anterior y escribe el resultado en tu cuaderno.

7,25 + 2,50	5,75 + 1,50	1,75 + 4,75
2,25 + 4,75	3,50 + 4,50	4,25 + 5,25

2 Calcula mentalmente y anota los resultados en tu cuaderno.

0,25 + 0,25	0,50 + 0,25
0,50 + 0,50	0,75 + 0,50
0,25 + 0,75	0,75 + 0,75

3 Aroa y Eloy se gastaron 3,25 € en la librería. Fíjate en los precios del escaparate y averigua, mentalmente, qué han comprado.

smSaviadigital.com
PRACTICA Utiliza esta estrategia de **cálculo mental**.

Retos matemáticos

1 Calcula 25,37 × 14 con tu calculadora si la tecla de *multiplicar* no funciona.

2 La figura de arriba representa $\frac{6}{15}$, y la de abajo, 0,6. ¿Qué valor tienen las cinco piezas juntas?

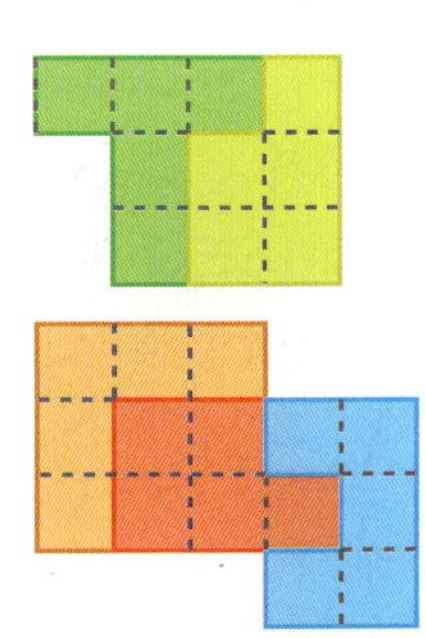

Repasa la unidad

Organiza tus ideas

Operar con números decimales

sumar y restar

```
  675,89        700,00
+  22,30      - 698,19
  698,19        001,81
```

multiplicar

```
  10,95
×     9
  98,55
```

divisiones con cociente decimal

```
3,0 |4         5,25 |3
 20  0,75       22   1,75
  0              15
                  0
```

multiplicar por 10, 100, 1.000...

4,16 × 10 = 41,6

4,16 × 100 = 416

4,16 × 1.000 = 4.160

dividir entre 10, 100, 1.000...

4,16 : 10 = 0,416

4,16 : 100 = 0,0416

4,16 : 1.000 = 0,00416

divisiones entre números decimales

12,5 : 0,25 → (× 100) → 1.250 : 25 ← (× 100)

1.250 : 25 = 50 → (: 100) → 12,5 : 0,25 = 50

1 Resuelve.

83,751 + 128,15 + 17,4   109,45 + 200,55 − 32, 721

(45,02 + 84,4) × 4   3 × 18,72 − 5 × 6,407

2 ¿Cuáles de estas multiplicaciones no están bien hechas? Corrígelas.

A. 53,58 × 7 = 375,06

B. 125,9 × 4 = 5.036

C. 802 × 1,2 = 96,24

D. 45 × 0,33 = 14,85

3 Completa en tu cuaderno.

5,85 × 1.000 = •••   70,9 : 10 = •••

••• × 100 = 48   37.125 : ••• = 3,7125

4 Resuelve y comprueba el resultado con la calculadora.

83 : 25   37,74 : 37   75,2 : 64

5 Realiza estas divisiones en tu cuaderno.

144 : 2,4   45,88 : 7,4   896,232 : 42,8

Problemas

6 En una ciudad, el consumo de agua por habitante y día es de 17,5 ℓ. ¿Cuántos litros consume una persona en un año? ¿Cuántos litros se consumen en un año en esa ciudad si tiene 10.000 habitantes?

7 La tutora de una clase compra las entradas del museo para sus alumnos. Paga con 3 billetes de 50 € y un billete de 20 €, y le devuelven 5 €. ¿Cuántos alumnos hay en la clase?

Vocabulario matemático

8 Utiliza estas palabras para explicar cómo dividir números decimales.

decimal   equivalente   natural   coma

smSaviadigital.com

VALORA LO APRENDIDO Comprueba lo que sabes en la **autoevaluación**.

Repasa las unidades

1 Utiliza estas bolas una sola vez y forma los números indicados. Indica cómo se leen.

7 5 3 8 5 8 1

- El mayor número posible menor que siete millones.
- El menor número posible mayor que cien mil.

2 Encuentra los divisores primos de los siguientes números.

18 42 29 30 54 23

3 Realiza estas operaciones.

47.859 + 155.908

4.489 × 705

947.985 – 847.456

3.522 : 587

4 Dibuja el tramo de recta necesario y representa en ella estas fracciones.

$\frac{5}{4}$ $\frac{3}{4}$ $\frac{4}{4}$ $\frac{1}{4}$

¿Cuál de ellas es mayor que la unidad? Exprésala como suma de un número y una fracción.

5 Resuelve.

$\frac{2}{7}+\frac{6}{7}-\frac{3}{5}$ $\frac{5}{7}\times 9$ $\frac{8}{7}\times\left(\frac{1}{2}+\frac{12}{8}\right)$

6 ¿Cómo redondeamos 2.169,725 a la unidad?

A. 2.169 **B.** 2.170 **C.** 2.160 **D.** 2.169,7

7 Copia y completa estas series en tu cuaderno.

a) 1,6 – 1,9 – 2,2 – ••• – ••• – ••• – •••

b) 3,83 – 3,88 – 3,93 – ••• – ••• – ••• – •••

8 Indica la propiedad aplicada en cada caso y calcula el resultado.

7,5 × 2 = 2 × 7,5

6 × (5 + 4) = 6 × 5 + 6 × 4

9,3 + 5,7 = 5,7 + 9,3

5 + (7 + 3) = (5 + 7) + 3

9 ¿Cuál es el resultado de estas operaciones?

12,09 + 3,4 + 6,027

8,4 – 3,45

1.534,79 × 0,04

17,136 : 2,4

Problemas

10 Una tienda tiene camisetas en oferta.

a) Si la camiseta más barata cuesta 9,90 € y hay una diferencia de 0,05 € entre sus precios, ¿cuánto cuesta cada una?

b) Si Marcos no quiere gastar más de 20 €, escribe tres posibles compras que puede hacer.

c) Por la compra de dos camisetas de las más caras, hacen un descuento del 10 % en el precio total. ¿Cuánto habría que pagar?

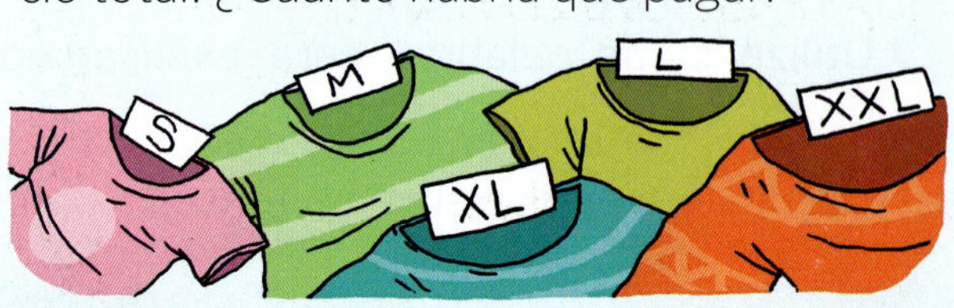

11 Esta es la producción de aceitunas de un pueblo en los últimos cinco años.

2011	2012	2013	2014	2015
875 kg	1.540 kg	1.130 kg	635 kg	1.310 kg

a) ¿Cuándo hubo mayor producción? ¿Y menor? Calcula la diferencia entre ambas.

b) En 2013, $\frac{5}{8}$ de las aceitunas se dedicaron a aceite, $\frac{1}{4}$, a envasar, y el resto se perdieron. ¿Qué fracción de aceitunas se perdió?

Ponte a prueba

Calcula y reflexiona

En un colegio, las líneas de la cancha miden 164,45 m en total. Quieren utilizar rollos de cinta adhesiva como estos para marcarlas.

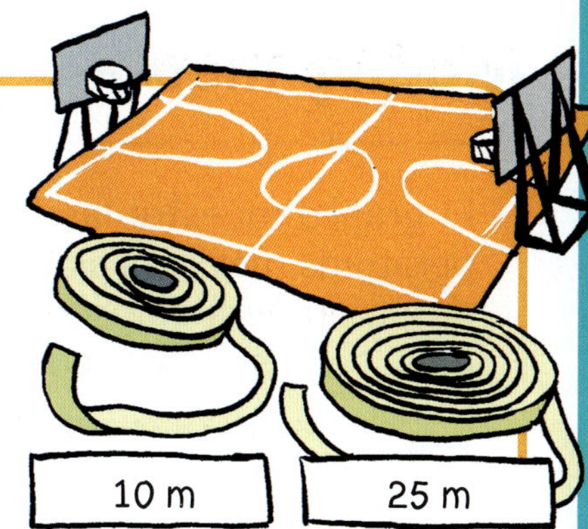

1 Contesta para el caso en que utilicen un solo tipo de rollos.

a) ¿Cuántos rollos necesitarían de cada tipo?

b) ¿Cuánta cinta sobraría en cada caso?

2 Si quieren que sobre la menor cantidad de cinta posible, ¿cuál de estas combinaciones crees que elegirán? Explica por qué.

A. 6 rollos de 25 m y 2 de 10 m

B. 7 rollos de 25 m

C. 5 rollos de 25 m y 5 de 10 m

D. 17 rollos de 10 m

Tarea final — Decide el precio de un billete de autobús

PASO 1 Elegid entre todos una localidad que esté a 100 km aproximadamente de la vuestra, para organizar una ruta con este autobús.

PASO 2 Averigua el precio del litro de gasoil. Calcula cuánto cuesta hacer el trayecto y el coste por pasajero.

PASO 3 ¿Qué precio le pondrías al billete para obtener beneficio? ¿Qué beneficio obtendrías en cada viaje? Diseña el tique con el precio, la hora de salida, y el nombre y logotipo de la empresa.

PASO 4 Únete a un compañero y comparad los billetes. ¿Por qué los precios son diferentes? ¿Quién crees que tendrá más clientes?

PASO 5 Reflexionad sobre otros gastos que puede tener la ruta de autobús.

smSaviadigital.com
VALORA LO APRENDIDO **¿Cómo has trabajado** en esta tarea?

Moda y media

El gráfico muestra las temperaturas máximas alcanzadas la primera quincena del mes de diciembre en una ciudad.

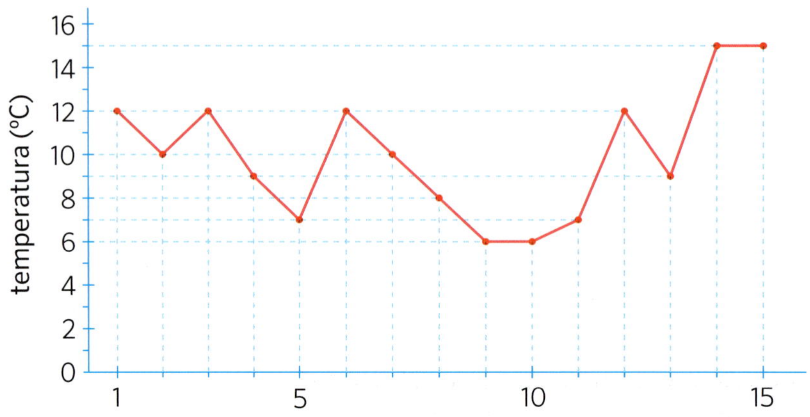

- La **moda** es el dato que tiene mayor frecuencia. En este caso, la moda es 12 °C de temperatura máxima, ya que se repite 4 días de la quincena.
- La **media** de un conjunto de datos se calcula sumando todos los datos y dividiendo el resultado entre el número total de ellos.

$$\frac{12 + 10 + 12 + 9 + 7 + 12 + 10 + 8 + 6 + 6 + 7 + 12 + 9 + 15 + 15}{15} = 10$$

1 Observa la tabla con las notas de Matemáticas de los alumnos de 5°.

nota	3	4	5	6	7	8	9	10
n.° alumnos	1	3	8	14	10	7	5	2

a) Representa los datos en un gráfico de barras.

b) ¿Cuál es la moda? ¿Y la media?

2 Lee el artículo y analiza los datos del polígono de frecuencias.

Animales en peligro de extinción

Existen muchas especies animales en peligro de extinción. En el gráfico aparecen algunas de las que quedan muy pocos ejemplares.

Las causas de su desaparición se encuentran en la contaminación, en la destrucción de su hábitat, en la caza ilegal y en su venta como mascotas. ■

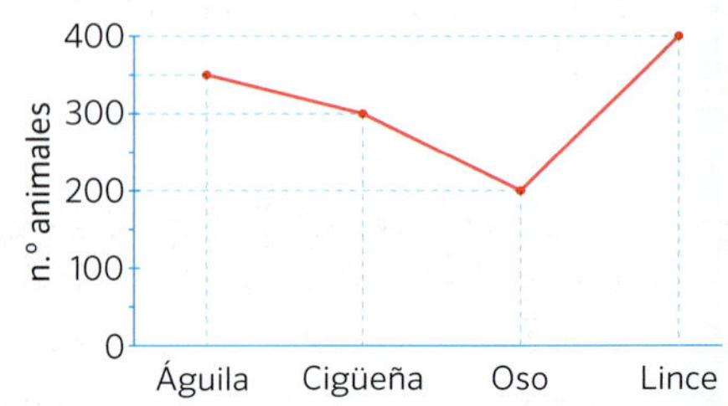

a) Recoge los datos en una tabla.

b) ¿Cuál es la moda?

c) ¿Cuál es la media de animales en peligro de extinción?

3 Observa esta tabla de frecuencias de las mascotas favoritas de los alumnos de un colegio.

mascotas	votos
gato	170
perro	350
hámster	120
canario	5
tortuga	30

¿Qué animales han recibido un número de votos por debajo de la media?

4 Este gráfico de líneas muestra la evolución de la población de linces ibéricos en cinco años.

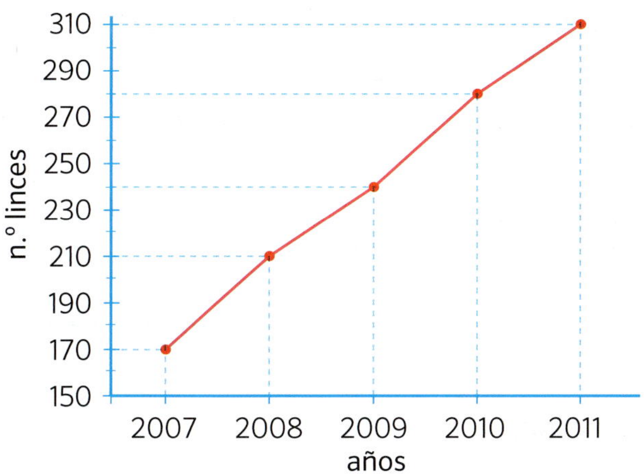

a) ¿Cuántos linces había en 2008? ¿Y en 2010?

b) ¿Cuánto aumentó la población de linces entre 2007 y 2011?

c) ¿Qué años ha estado por encima de la media la población de linces?

5 ¿Cuál de estas tablas corresponde a los datos representados en el gráfico de la actividad anterior?

A.

año	n.º de linces
2007	170
2008	210
2009	230
2010	280
2011	300

B.

año	n.º de linces
2007	170
2008	210
2009	240
2010	280
2011	310

6 En este gráfico se han representado los polígonos de frecuencia de las temperaturas máxima y mínima de una localidad durante una semana.

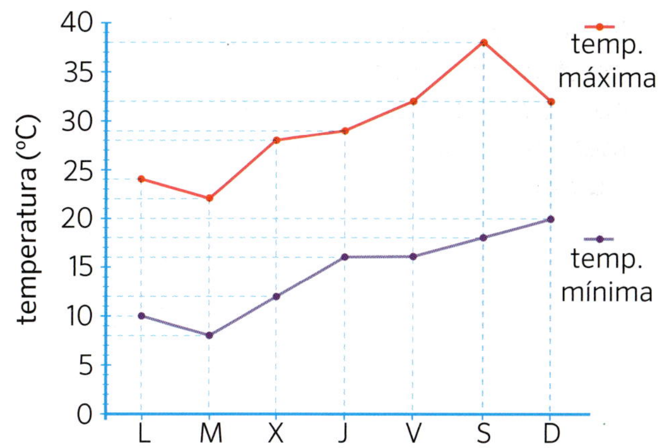

a) Completa en tu cuaderno la tabla de frecuencias con los datos del gráfico.

día de la semana	temperatura máxima (°C)	temperatura mínima (°C)
•••	•••	•••

b) Calcula la media de las temperaturas máximas y la media de las temperaturas mínimas.

c) ¿Cuál es la moda en cada una de ellas?

7 Este gráfico de barras representa las precipitaciones de la selva amazónica durante un año. Fíjate en él y contesta.

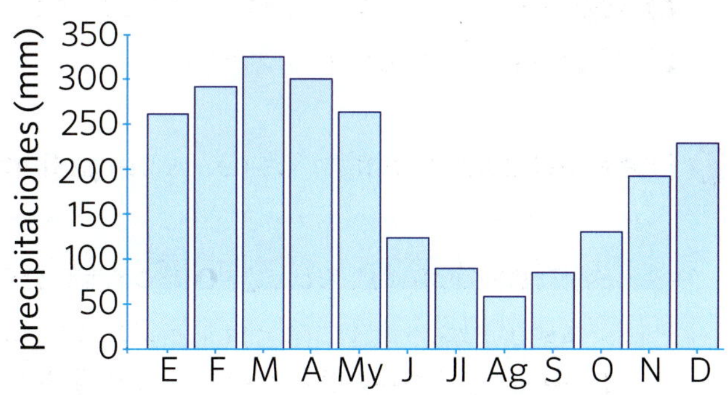

a) ¿Cuál ha sido el mes más lluvioso? ¿Y el más seco?

b) ¿Qué meses ha llovido menos que en mayo?

c) ¿Cuál es la media de las precipitaciones en la selva amazónica?

d) ¿En qué meses ha llovido más que la media?

unidad

7 Medir longitudes, capacidades y masas

¡Qué importante es... la curiosidad científica!

Muchos de los grandes descubrimientos de la ciencia se han iniciado gracias a la capacidad de observación de personas con interés de saber, de ir más allá de lo ya conocido.

Tarea final

Al final de la unidad, pondrás en acción tu curiosidad científica acerca del consumo de agua. Antes, observa durante un día el número de veces que os laváis las manos y los dientes, y las que utilizáis la ducha, el váter, la lavadora y el lavavajillas. Anótalo en una hoja.

¿Cuánto pesa un litro de agua?

Alicia es una niña de 11 años que detesta las matemáticas. Una tarde se queda dormida en un parque y, en sueños, conoce a unos curiosos personajes que le ayudan a entenderlas mejor. Mientras meriendan, realizan un experimento. Fabrican una caja de fieltro con forma de cubo de 1 dm de lado, y demuestran cuánta agua cabe en él y cuánto pesa esa agua.

La Liebre tomó una botella de agua mineral de litro que había sobre la mesa, la abrió y la vació en la caja cúbica de fieltro.

[...]

—Exactamente un litro, ¡qué casualidad! —exclamó la Liebre de Marzo.

—Pues aún no han terminado las «casualidades» —dijo Charlie, sonriendo al ver la cara de asombro de la Liebre—. Si pudiéramos pesar ese litro [...].

—Podemos —afirmó el Sombrerero Loco, y sacó de debajo de la mesa una gran balanza de platillos de latón. La Liebre vertió el agua del recipiente de fieltro en uno de los platillos, que, afortunadamente, era lo suficientemente grande como para contenerla toda. En el otro platillo, el Sombrerero puso una pesa de un kilo. La balanza quedó perfectamente equilibrada.

Carlo Frabetti: *Malditas matemáticas.* Editorial Alfaguara

Hablamos

1. ¿Qué experimento realizan los personajes que conoce Alicia? Explícalo.
2. ¿Cuánta agua cabe en la caja de fieltro? ¿Cuánto pesa el agua?
3. ¿Qué relación hay entre la medida de la caja, la cantidad de agua que cabe y su peso?

1 Unidades de medida de longitud

El metro es la unidad principal de medida de longitud del Sistema Métrico Decimal. Su símbolo es m.

- Para medir **longitudes mayores que el metro** utilizamos:

decámetro → dam	hectómetro → hm	kilómetro → km
1 dam = 10 m	1 hm = 100 m	1 km = 1.000 m

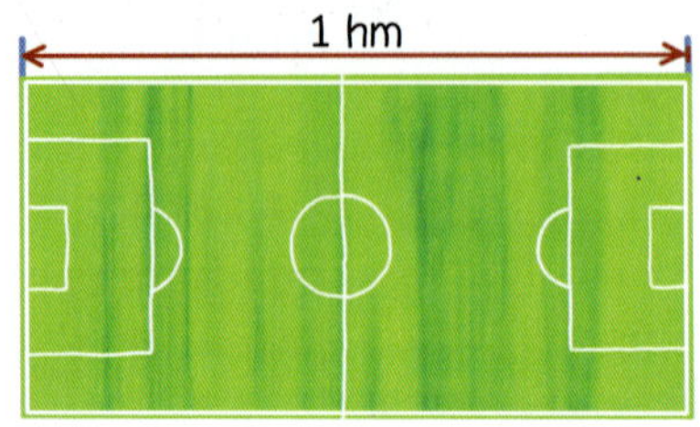

- Para medir **longitudes menores que el metro** utilizamos:

decímetro → dm	centímetro → cm	milímetro → mm
1 dm = 0,1 m	1 cm = 0,01 m	1 mm = 0,001 m

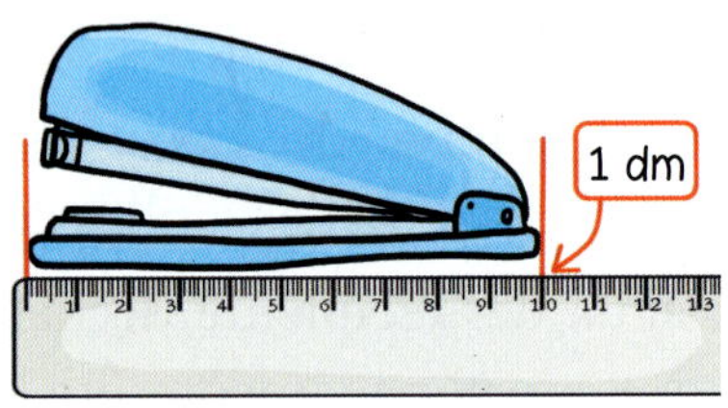

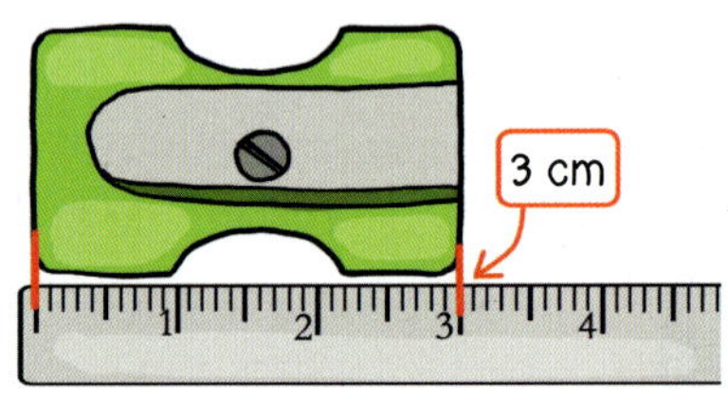

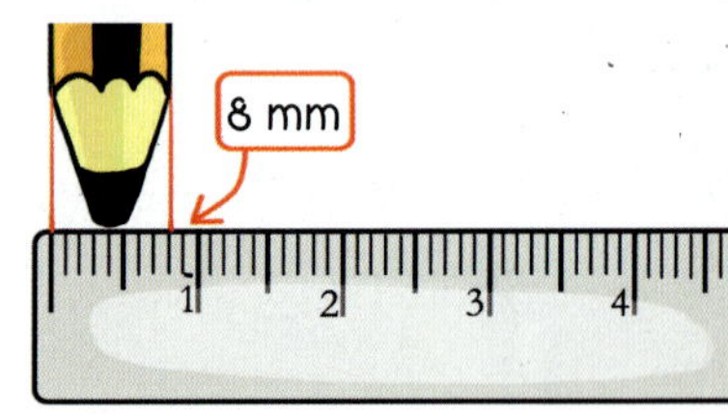

Recuerda que el sistema de medidas de longitud es decimal.

km ⇄ hm ⇄ dam ⇄ m ⇄ dm ⇄ cm ⇄ mm (× 10 hacia la derecha; : 10 hacia la izquierda)

1 **Indica qué unidad utilizarías para medir estas longitudes.**

el ancho de tu libro — el radio de la Tierra — tu palmo — la distancia entre dos ciudades — tu altura — el grosor de tu dedo — el largo de tu clase

Mide con la regla o la cinta métrica aquellas longitudes que puedas.

2 **Completa en tu cuaderno con la unidad de medida más adecuada.**

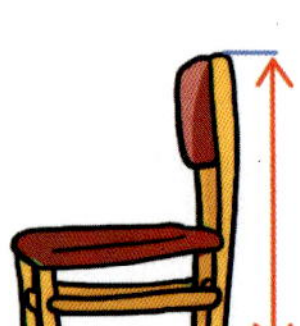
95 •••

420 •••

1 •••

2 •••

Ten en cuenta

Algunos instrumentos para medir longitudes son la regla, la cinta métrica, el calibre, etc.

3 ¿Qué operación realizarías para pasar 7 m a milímetros? Explica por qué.

A. 7 × 10 B. 7 : 10 C. 7 × 1.000 D. 7 : 100

4 Observa los ejemplos y completa las igualdades en tu cuaderno.

Ejemplo:
- 4 hm = ●●● m → 4 × 10 × 10 = 4 × 100 = 400 → 4 hm = 400 m
- 325 mm = ●●● cm → 325 : 10 = 32,5 → 325 mm = 32,5 cm

- 2 m = ●●● dm
- 700 m = ●●● km
- 50 cm = ●●● m
- 78 mm = ●●● m
- 6 hm = ●●● dam
- 80 dam = ●●● hm

5 Expresa en las unidades indicadas.

- km: 7 m, 0,8 dam
- hm: 12 m, 7,82 km
- dam: 500 cm, 0,3 hm
- dm: 820 mm, 5,7 dam
- cm: 9 km, 3,2 mm
- mm: 49 dam, 0,72 cm

6 Copia y corrige las comparaciones incorrectas en tu cuaderno.

1 km = 100 dam 7 dam > 70 m 6 mm < 6 cm

0,01 m > 10 cm 90 mm < 9 dm 10 hm = 1.000 m

¿Sabías que...?

Antiguamente se utilizaban como unidad de medida distintas partes del cuerpo: dedo, palma, codo, paso, etc. Son las denominadas **unidades de medida no convencionales**.

Problemas

7 Dos pescadores compran un carrete de hilo de pesca. Uno mide 3,5 dam, y el otro, 50 m. ¿Qué carrete tiene más hilo?

8 ¿Cuántos centímetros mide la diagonal de la televisión de Ana?

9 Observa la altura de estos tres amigos. ¿Cuál es el más alto? Explica qué pasos has seguido para averiguarlo.

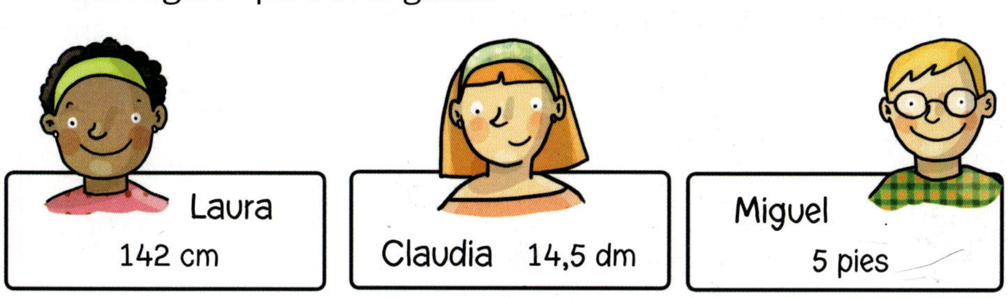

Ten en cuenta

En algunos países de habla inglesa se utilizan otras unidades de medida como:

1 pulgada = 2,54 cm

1 pie = 30,48 cm

1 yarda = 0,91 m

2 Unidades de medida de capacidad

El litro es la unidad principal de medida de capacidad del Sistema Métrico Decimal. Su símbolo es ℓ.

- Para medir **capacidades mayores que el litro** utilizamos:

decalitro → daℓ	hectolitro → hℓ	kilolitro → kℓ
1 daℓ = 10 ℓ	1 hℓ = 100 ℓ	1 kℓ = 1.000 ℓ

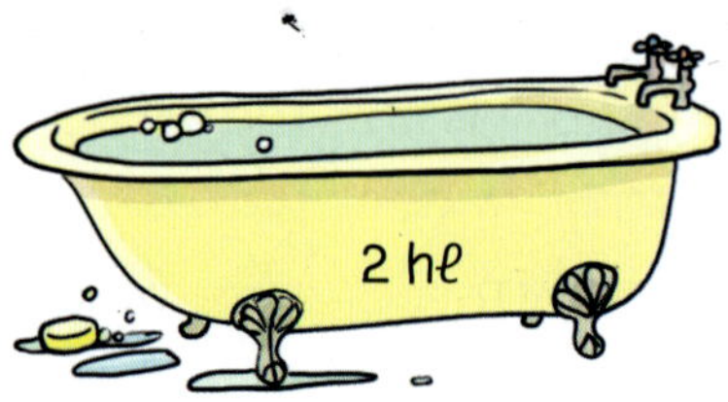

- Para medir **capacidades menores que el litro** utilizamos:

decilitro → dℓ	centilitro → cℓ	mililitro → mℓ
1 dℓ = 0,1 ℓ	1 cℓ = 0,01 ℓ	1 mℓ = 0,001 ℓ

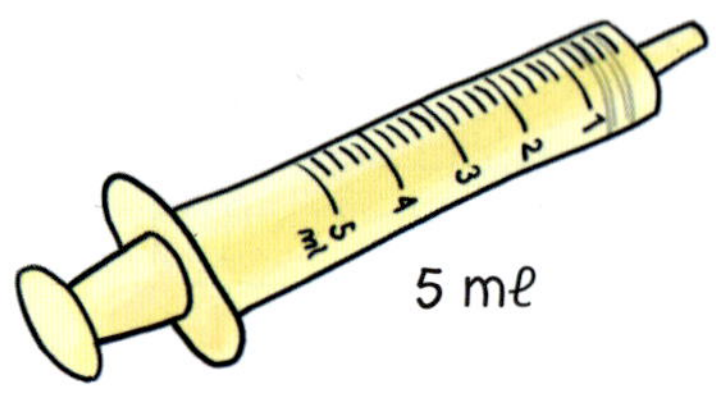

Recuerda que el sistema de medidas de capacidad es decimal.

kℓ ⇄ hℓ ⇄ daℓ ⇄ ℓ ⇄ dℓ ⇄ cℓ ⇄ mℓ (× 10 hacia la derecha; : 10 hacia la izquierda)

10 ¿En qué unidad expresarías la capacidad de estos recipientes? Estima la cantidad de líquido que puede contener cada uno. Compara tus resultados con los de tus compañeros.

cacerola · biberón · garrafa de agua

envase de leche · vaso de zumo · cuchara de café

11 Observa los ejemplos resueltos y completa en tu cuaderno.

Ejemplo:

- 7 ℓ = ●●● dℓ → 7 × 10 = 70 → 7 ℓ = 70 dℓ
- 12 daℓ = ●●● kℓ → 12 : 100 = 0,12 → 12 daℓ = 0,12 kℓ

- 5 ℓ = ●●● cℓ
- 4,3 kℓ = ●●● dℓ
- 69 dℓ = ●●● hℓ
- 7,05 hℓ = ●●● daℓ
- 2,5 cℓ = ●●● ℓ
- 0,35 hℓ = ●●● mℓ

Ten en cuenta

Algunos instrumentos para medir capacidades son la jarra graduada, la probeta, el juego de medidas, etc.

12 ¿Qué operación realizarías para pasar 4 cℓ a hectolitros? Explica por qué.

A. 4 × 1.000 C. 4 × 10.000

B. 4 : 10.000 D. 4 : 1.000

13 Expresa cada medida en la unidad indicada.

cℓ →	5 daℓ	500 mℓ	2,27 ℓ
hℓ →	12 kℓ	952 cℓ	7,2 daℓ
ℓ →	800 dℓ	96 mℓ	0,4 kℓ

14 Ordena estos recipientes según su capacidad.

- vaso de agua: 25 cℓ
- botella de aceite: 0,75 ℓ
- botella de lejía: 20 dℓ
- bote de detergente: 0,135 daℓ
- botella de limpiacristales: 500 mℓ

15 Busca información sobre estas unidades de medida de capacidad. ¿A cuántos litros equivale cada una?

1 cuartillo 1 arroba

Explica por qué estas unidades no pertenecen al Sistema Métrico Decimal.

Problemas

16 En una carrera han consumido 56 botellas de agua de un cuarto de litro, 36 botellas de medio litro y 18 botellas de un litro. ¿Cuántos litros han bebido en total?

17 Si de cada naranja se obtienen aproximadamente 50 mℓ de zumo, ¿se puede llenar la jarra con el zumo de estas naranjas?

Taller de matemáticas manipulativas

Identificar medidas de capacidad

1.º Llenamos un vaso de plástico de 20 cℓ de agua y lo vaciamos en una botella o una jarra de 1 ℓ.

2.º Marcamos con un rotulador la altura a la que ha llegado el agua.

3.º Repetimos la operación hasta que la botella esté llena.

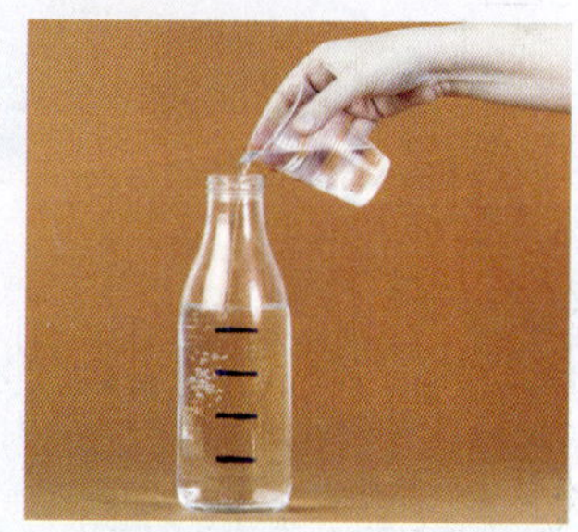

Observa que las cuatro marcas dividen la capacidad de la botella en 5 partes iguales.

La capacidad del vaso es la quinta parte de la capacidad de la botella.

$20 \text{ c}\ell = \frac{1}{5} \text{ de } 1 \ell = 0{,}2 \ell$

Por tanto, 20 cℓ = 0,2 ℓ.

Repite la experiencia cambiando el vaso por una lata de refresco de 330 mℓ.

1 ¿Cuántas latas aproximadamente necesitas para llenar la jarra?

2 ¿Cuál es la fracción de litro que representa una lata?

3 Expresa 330 mℓ en litros.

3 Unidades de medida de masa

El kilogramo es la unidad principal de medida de masa del Sistema Métrico Decimal, aunque el gramo es una de las unidades de masa más utilizadas. Su símbolo es g.

- Para medir **masas mayores que el gramo** utilizamos:

decagramo → dag	hectogramo → hg	kilogramo → kg
1 dag = 10 g	1 hg = 100 g	1 kg = 1.000 g

1 dag

2 hg

- Para medir **masas menores que el gramo** utilizamos:

decigramo → dg	centigramo → cg	miligramo → mg
1 dg = 0,1 g	1 cg = 0,01 g	1 mg = 0,001 g

1 dg

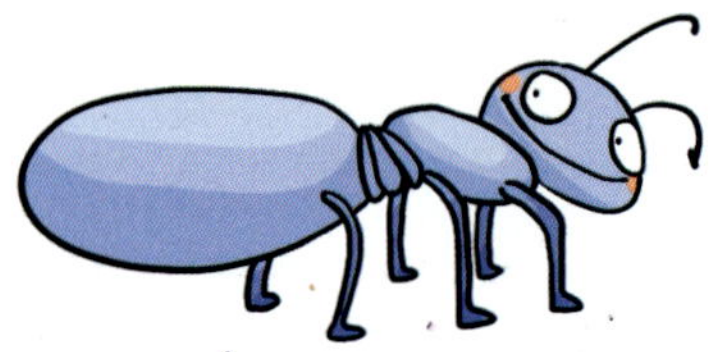
1 cg

1 mg

Recuerda que el sistema de medidas de masa es decimal.

kg ⇄ hg ⇄ dag ⇄ g ⇄ dg ⇄ cg ⇄ mg (× 10 hacia la derecha; : 10 hacia la izquierda)

18 Escribe en tu cuaderno la unidad más adecuada para expresar la masa de estos objetos.

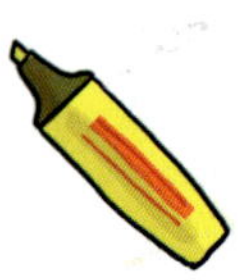
2 •••

10 •••

7 •••

2 •••

5 •••

¿Qué instrumento de medida utilizarías para saber la masa de los objetos anteriores?

19 Indica qué unidad utilizarías para medir la masa de:

un mosquito — una lavadora — un perro — una goma de borrar — un bote de aceitunas

Ten en cuenta

Algunos instrumentos para medir masas son la balanza romana, la báscula digital, etc.

20 Estima la masa de cada una de estas piezas de fruta y calcula cuántas necesitas para obtener 1 kg aproximadamente de cada tipo. Completa la tabla con los datos en tu cuaderno.

fruta	masa estimada de una pieza	n.º de piezas aproximadas para obtener 1 kg
•••	•••	•••

21 Observa los ejemplos y completa en tu cuaderno.

Ejemplo:
- 7 kg = ••• g → 7 × 1.000 = 7.000 → 7 kg = 7.000 g
- 27 mg = ••• dg → 27 : 100 = 0,27 → 27 mg = 0,27 dg

- 0,5 kg = ••• g
- 200 mg = ••• g
- 2,17 dag = ••• hg
- 1,4 t = ••• kg
- 18,3 dg = ••• mg
- 345.200 hg = ••• t

Ten en cuenta

Para medir masas muy grandes se utiliza la tonelada.

tonelada → t

1 t = 1.000 kg

22 Expresa en la unidad indicada.

- dag → 375 g 9 hg 4,89 kg
- g → 258 dg 45,3 hg 7,5 cg
- dg → 0,6 mg 7 cg 2.500 kg
- hg → 89 mg 6,09 kg 8,3 g

23 ¿Cuántos gramos hay en total una bolsa de naranjas de 2,5 kg y otra de tres cuartos de kilo?

A. 3.500 g B. 3.750 g C. 3.250 g D. 4.000 g

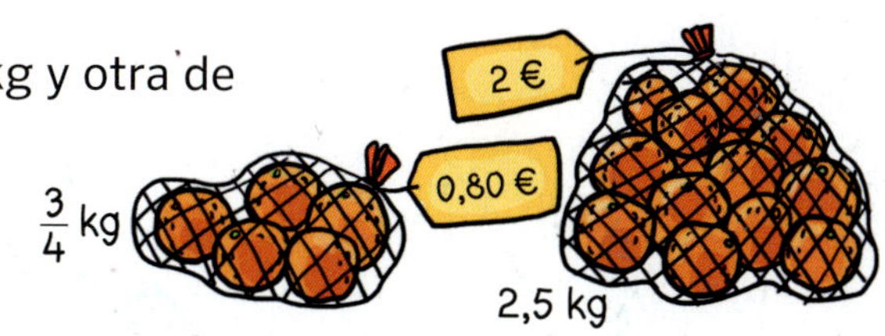

24 smSaviadigital.com PRACTICA Entra en la web y practica las equivalencias entre distintas unidades de masa.

Problemas

25 En una ciudad de 30.000 habitantes, cada uno genera 365 kg de basura al año. ¿Cuántos kilos de basura se recogen al día en esa ciudad? ¿Y en un mes? Expresa el resultado en toneladas.

Nota Considera que un año tiene 365 días y un mes 30 días.

26 ¿Cuántos kilogramos de chocolate son necesarios para hacer 15 docenas de bombones, si cada bombón tiene 15 g de chocolate?

27 Observa la información de estas etiquetas y calcula la masa del líquido que hay en cada lata. Expresa el resultado en gramos.

Masa neta: 3.500 dg
Masa escurrida: 2,50 hg

Masa neta: 150 g
Masa escurrida: 13,5 dag

¿Sabías que...?

En una lata de conservas, la **masa neta** es la suma de la masa del producto escurrido y la del líquido que contiene.

4 Distintos modos de expresar medidas

La masa de una canguro y su cría es de 8 kg y 270 g. Cuando la cría sale de la bolsa marsupial su masa es de 570 g. ¿Cuál es la masa de mamá canguro?

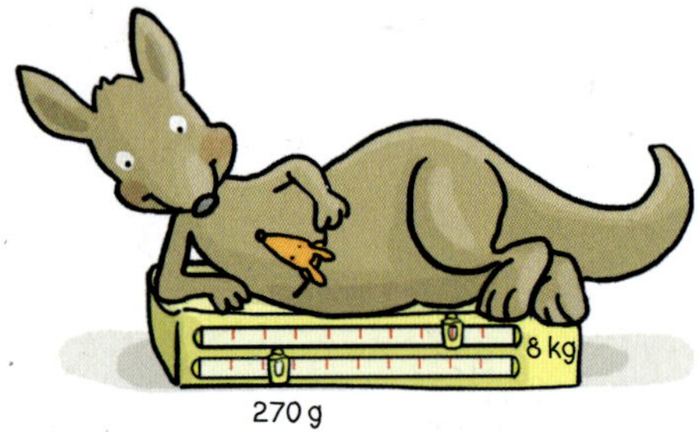

Una medida está expresada en **forma incompleja** cuando se utiliza una sola unidad y en **forma compleja**, cuando se utilizan dos o más unidades.

Para transformar una medida en otra equivalente podemos utilizar una tabla de unidades. La casilla de color indica la unidad que queremos utilizar para expresar esa medida.

forma compleja: 8 kg 270 g

kg	hg	dag	g	forma incompleja
8	2	7	0	→ 8,27 kg
8	2	7	0	→ 82,7 hg
8	2	7	0	→ 827 dag
8	2	7	0	→ 8.270 g

Para calcular la masa de mamá canguro, expresamos las cantidades en forma incompleja y restamos.

kg	hg	dag	g
8	2	7	0
0	5	7	0

8,27 kg – 0,57 kg = 7,7 kg

▶ La masa de la mamá canguro es 7,7 kg.

Para sumar, restar, multiplicar y dividir unidades de medida, escribimos sus formas incomplejas en la misma unidad y operamos. Utilizamos la unidad más apropiada para expresar el resultado.

28 Expresa de tres formas distintas la capacidad de cada uno de estos recipientes. ¿Cuál te parece la más adecuada en cada caso? ¿Por qué?

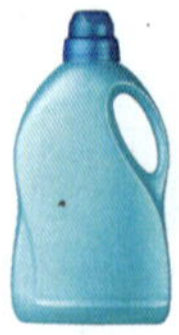

Ten en cuenta

Para expresar una medida debes utilizar la unidad que simplifica más la lectura del número.

29 Escribe los datos en la unidad indicada y resuelve.

- dam → (15 km 75 m) : 3
- g → 100 × (75 dg 85 mg)
- dℓ → (7 ℓ 44 cℓ) : 6
- hℓ → (12 daℓ 9 mℓ) × 45

30 Convierte estas medidas en expresiones complejas.

2.463 dm   3,612 m   748 dam   5,75 km   2.048 mm

Nota Construye una tabla de unidades y utilízala para transformar las expresiones.

31 Resuelve en forma incompleja con la unidad que prefieras.

- 5 dag 658 mg + 5 hg 27 cg
- 25 ℓ 5 cℓ + 80 daℓ 90 mℓ
- 72 hm 5 m 62 mm – 5 km 83 dm
- 18 dag 75 cg – 96 g 523 mg

Compara tus resultados con los de tus compañeros. ¿Qué unidad crees que es la más adecuada para expresar los resultados? ¿Por qué?

32 Si compras estos productos, ¿cuánto pagas por 1 ℓ de agua? ¿Y por 1 kg de pollo?

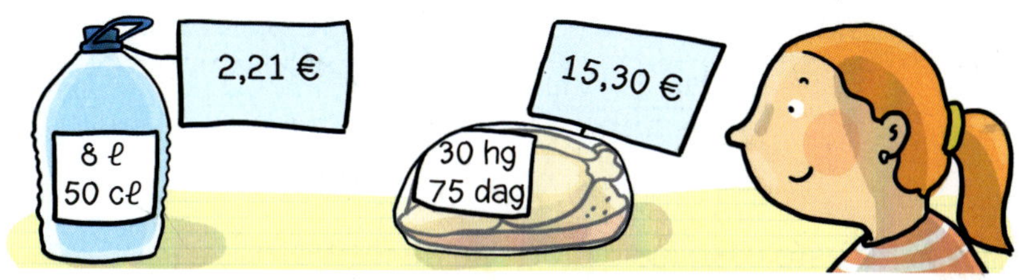

smSaviadigital.com
PRACTICA Entra en la web y practica las equivalencias entre distintas unidades.

33 Ordena las siguientes medidas de mayor a menor.

32,6 hℓ   3 kℓ 315ℓ   3.574,8 ℓ   280 daℓ 76 cℓ

Problemas

34 ¿Cuál de estas expresiones crees que es la más adecuada para indicar la masa del hámster? ¿Y la del elefante? Razona tu respuesta.

A. 0,42 kg
B. 420 g
C. 4 hg 2 dag

A. 6.500.000 g
B. 6,5 t
C. 65.000 hg

Nota Para comparar medidas, exprésalas primero en la misma unidad.

35 El consumo de agua de un lavavajillas por lavado es de 65 ℓ 2 dℓ y el de una lavadora es de 4,6 daℓ.

a) ¿Cuántos litros se consumen en 15 lavados de una lavadora? ¿Y en 20 lavados de un lavavajillas?

b) Si el número medio de lavados de una lavadora es de 220 al año, ¿cuántos decalitros de agua consume en un mes?

c) Si se pone el lavavajillas sin llenar tres veces seguidas se malgasta el agua de un lavado completo. ¿Cuántas botellas de litro y medio podrían llenarse si se ha puesto 12 veces el lavavajillas sin llenar?

Problemas

Estrategia: Aproximar los datos

Unos excursionistas visitan varios lugares de interés. Si empiezan y acaban en el mismo pueblo, ¿cuántos kilómetros caminan aproximadamente?

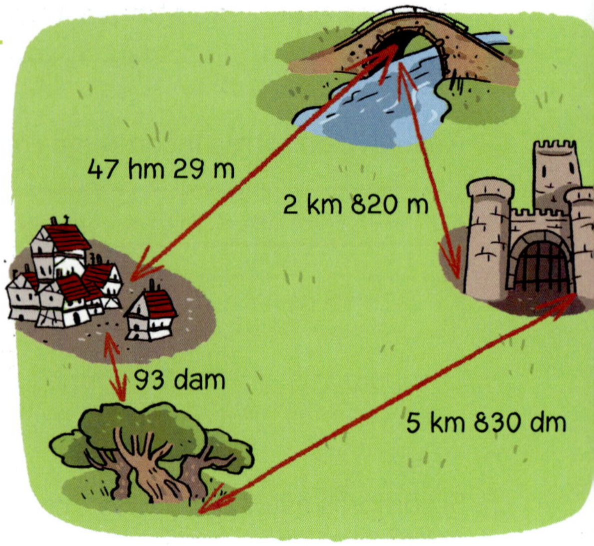

- ¿Qué nos pide el problema?

  Averiguar cuántos kilómetros caminan aproximadamente.

- ¿Qué datos necesitamos?

  Longitud de los tramos:

  47 hm 29 m   5 km 830 dm

  2 km 820 m   93 dam

- ¿Cómo se resuelve?

  1.º Expresamos todos los datos en la misma unidad de medida. Por ejemplo, en kilómetros, como pide la pregunta.

  47 hm 29 m = 4,729 km   2 km 820 m = 2,82 km

  5 km 830 dm = 5,083 km   93 dam = 0,93 km

  2.º Aproximamos los datos a la unidad. En este caso las distancias de los tramos.

  4,729 km → 5 km   2,82 m → 3 km

  5,083 km → 5 km   0,93 km → 1 km

  3.º Calculamos la solución aproximada. Es decir, los kilómetros totales recorridos: 5 + 5 + 3 + 1 = 14.

▶ **Solución**: Caminan 14 km aproximadamente.

➲ Calcula los kilómetros exactos que caminan y compáralos con la solución aproximada. ¿Qué observas?

1 Para una fiesta Elena compra:

- 45 dℓ de zumo de manzana
- 2.250 mℓ de zumo de naranja
- 12 latas de 33 cℓ de refresco
- 7 botellas de 1,5 ℓ de agua

a) ¿Cuántos litros de bebida compra aproximadamente?

b) Si sirve las bebidas en vasos de 35 cℓ, ¿cuántos vasos podrá llenar aproximadamente?

2 Para hacer dos bizcochos iguales hemos necesitado:

- 72,6 dag de harina
- 0,283 kg de azúcar
- 12 huevos de 75 g cada uno
- 320 dg de levadura

a) ¿Cuál es la masa aproximada en decagramos de un bizcocho antes de meterlo en el horno?

b) Con 383 dag de harina, ¿cuántos bizcochos se pueden preparar?

smSaviadigital.com
RESUELVE PROBLEMAS Paso a paso en la web.

Utiliza tus estrategias

1 Un atleta participa en una carrera de 650 dam. Al pasar por la marca que indica la mitad del recorrido, ¿qué distancia le queda por recorrer? Expresa el resultado en la unidad que creas más adecuada.

2 Un paso de Pablo mide 40 cm de longitud, y uno de su madre, 6 dm. Después de dar 300 pasos en la misma dirección:

a) ¿Cuántos metros ha recorrido cada uno?

b) ¿A qué distancia se encuentran el uno del otro?

3 En un polideportivo van a llenar una piscina de 320 kℓ en tres semanas. Si la primera semana vierten 125.000 ℓ, y la segunda, 1.050 hℓ, ¿qué cantidad de agua tendrán que poner la tercera semana?

4 La masa de un cachorro al nacer fue de un kilo y medio. Si la primera semana engordó 3.500 dg, la segunda, 0,275 kg, la tercera, 315 g, y la cuarta, 42 dag, ¿cuál es su masa ahora?

A. 1.360 g
B. 2.860 kg
C. 2.680 g
D. 2.860 g

5 Marta recorre un trayecto de 45 km 700 m, y Lucas, otro de 60 km 50 m. ¿Cuántos kilómetros recorre Lucas más que Marta?

A. 14,8 km
B. 14,35 km
C. 143,5 km
D. 15 km

6 Una familia consume semanalmente 7 ℓ de leche entera y 3.500 cℓ de leche desnatada. ¿Cuántos decilitros de leche consumen en un mes?

A. 12.600 dℓ
B. 420 dℓ
C. 1.680 dℓ
D. 1.680 cℓ

7 Un grifo vierte, cada minuto, 5 ℓ de agua en un depósito de 8 hℓ 25 ℓ de capacidad. ¿Cuánto tiempo tardará en llenarse?

A. 1.605 min
B. 9.960 s
C. 2 h 45 min
D. 165 h

Inventa un problema

8 Inventa un problema que se resuelva con dos operaciones, utilizando todos los datos de este mapa.

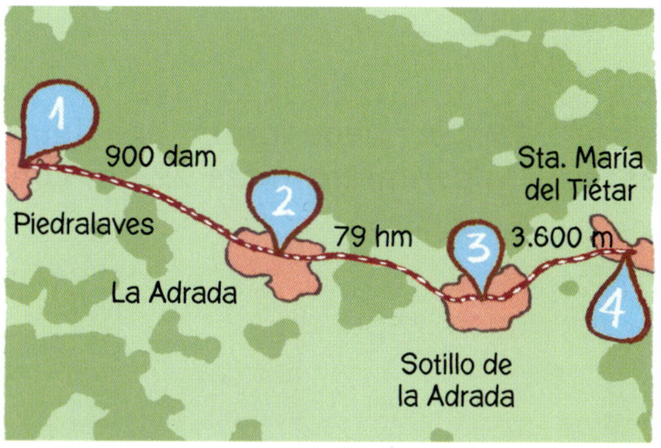

¿Tiene sentido?

9 Un coche recorre 90 km cada hora. Si no cambia su velocidad, ¿es posible que tarde 4 h y media en recorrer 450 km?

10 ¿Puede ser que la familia García, formada por cuatro miembros, consuma a la semana 56.000 cℓ de leche?

11 Si la masa de 20 granos de arroz es aproximadamente 1 g, ¿puede ser que en un paquete de 1 kg de arroz haya aproximadamente 2.000 granos?

Matemáticamente

Cálculo mental — Restar números decimales

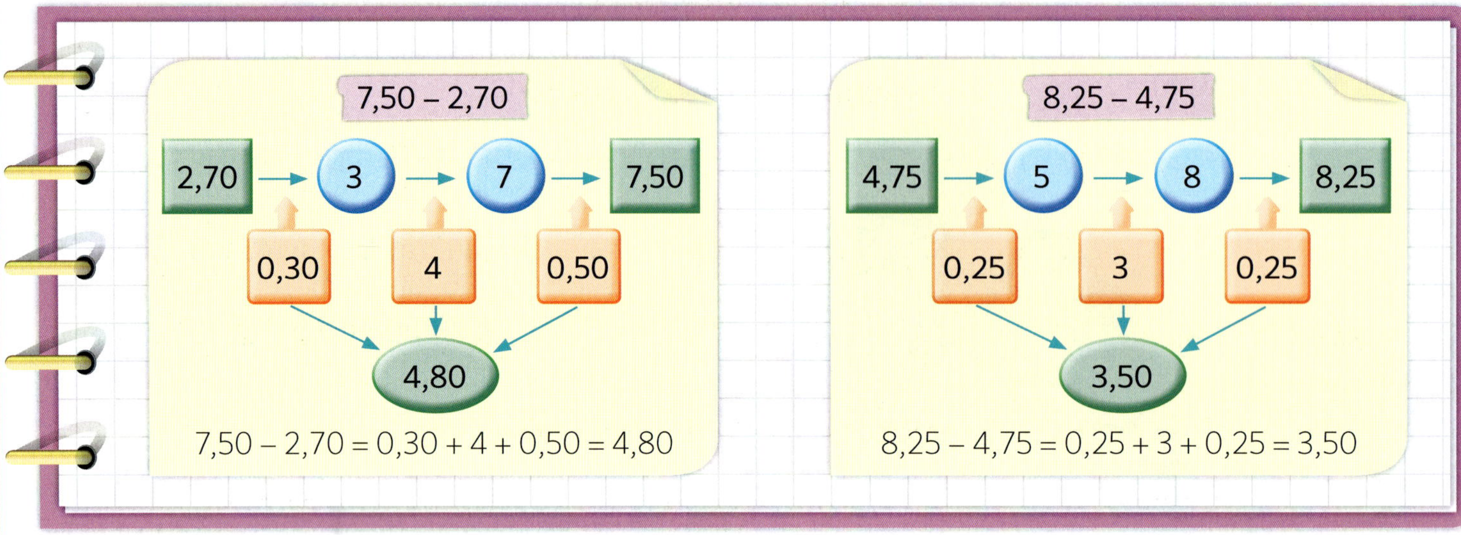

7,50 – 2,70 = 0,30 + 4 + 0,50 = 4,80

8,25 – 4,75 = 0,25 + 3 + 0,25 = 3,50

1. Completa en tu cuaderno con los números que faltan.

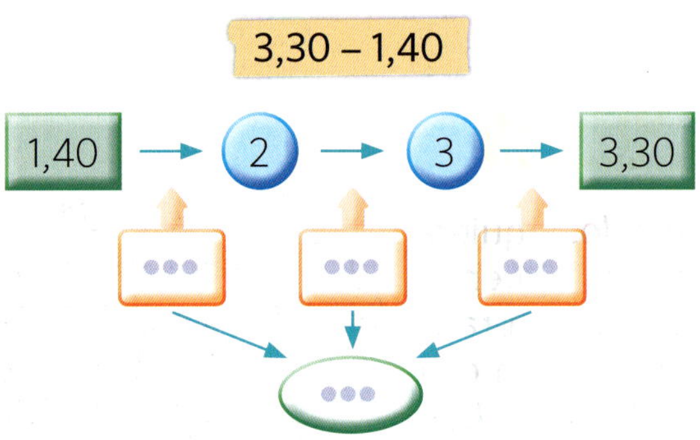

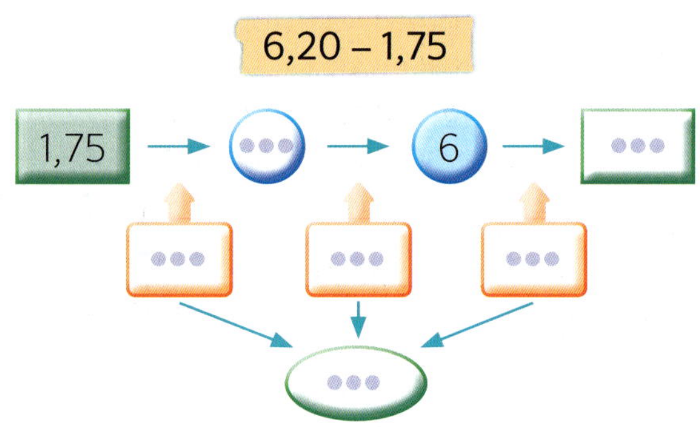

2. Nadia está reuniendo dinero para comprar un cómic de superhéroes que cuesta 13,25 €. Si ya ha conseguido reunir 8,75 €, ¿cuánto dinero le falta?

smSaviadigital.com
PRACTICA Utiliza esta estrategia de **cálculo mental**.

Retos matemáticos

1. Coloca estos cuadrados en tu cuaderno. Los lados en contacto deben tener medidas de longitud equivalentes.

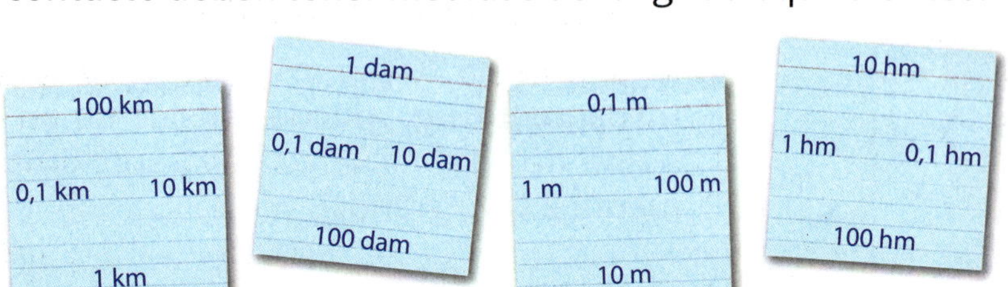

2. ¿Se puede formar una figura cuyo perímetro mida 22 cm con estas piezas?

Repasa la unidad

Organiza tus ideas

Medir longitudes, capacidades y masas

unidades de medida y sus relaciones

(Entre cada unidad y la siguiente: × 10 →; ← : 10)

longitud	km	hm	dam	m	dm	cm	mm
capacidad	kℓ	hℓ	daℓ	ℓ	dℓ	cℓ	mℓ
masa	kg	hg	dag	g	dg	cg	mg

expresiones complejas e incomplejas

longitud	capacidad	masa
7,56 m = 7 m 5 dm 6 cm	0,508 ℓ = 5 dℓ 8 mℓ	10,9 dg = 1 g 9 cg
305,7 dam = 3 km 5 dam 7 m	5064 cℓ = 5 daℓ 6 dℓ 4 cℓ	370,4 dag = 3 kg 7 hg 4 g

1 Elige en cada caso la unidad más adecuada para medir. Razona la respuesta.

- Altura de un rascacielos
- Capacidad de un frasco de perfume
- Masa de una ballena

2 Expresa cada medida en la unidad indicada.

- cℓ → 20 ℓ 8 mℓ
- m → 6 hm 7 dam 3 cm
- g → 41 kg 7 hg

3 Escribe en kilos y ordena de mayor a menor.

4,21 t   42 kg   740 g   40,7 hg

4 Expresa en forma compleja.

- 4.513 cm → m y cm
- 20,53 m → dam y cm
- 62,14 dg → g y mg
- 15,324 hℓ → kℓ, daℓ y dℓ

Problemas

5 María José quiere repartir el contenido de estas dos garrafas en botellas de medio litro. ¿Cuántas botellas necesita?

6 Una caja contiene 30 piezas de madera iguales y su masa total es 1,85 kg. Si la masa de la caja es de 20 dag, ¿cuál es la masa en gramos de cada pieza?

Vocabulario matemático

7 ¿En cuáles de estas oraciones la palabra *capacidad* no tiene un significado matemático?

- Un campeón olímpico tiene capacidad para correr 100 m en menos de 10 s.
- La capacidad de este envase está indicada en la etiqueta.

smSaviadigital.com
VALORA LO APRENDIDO Comprueba lo que sabes en la **autoevaluación**.

Repasa las unidades

1 Descompón estos números utilizando potencias de base 10. Redondea cada uno de ellos a las unidades de millar.

27.000 9.001.999

740.038 83.580

2 Copia las siguientes operaciones en tu cuaderno y calcula.

642 + 12.001 + 2.374	55.601 × 733
417.023 – 9.746	107.139 : 503
98.972 – 74.551	1.895.014 : 850

3 Escribe tres divisores del número 3.450.

4 Elige las fracciones equivalentes a $\frac{4}{10}$.

$\frac{4}{3}$ $\frac{12}{30}$ $\frac{3}{5}$ $\frac{240}{600}$ $\frac{12}{45}$ $\frac{18}{45}$

5 Calcula la fracción del número que se indica en cada caso.

$\frac{5}{8}$ de 64 $\frac{2}{3}$ de 99 $\frac{3}{4}$ de 180

6 Julián ha resuelto estas operaciones con la calculadora, pero ha cometido algunos errores. ¿Sabes cuáles?

1.448,27 + 159,153 + 55.847 = 57.454,423

25.879 – 15.720,32 = 10.159,32

55,7 × 7,02 = 1.093,114

7 ¿Qué coche ha recorrido el trayecto más largo? Justifica tu respuesta.

coche A → 10 hm 5 dam 12 dm

coche B → 973,8 m

8 Resuelve y expresa en la unidad indicada.

7 hℓ 5 daℓ + 7 kℓ 206 cℓ = ••• dℓ

1 kg 5 dag 6 g + 8 hg 6 g 5 dg = ••• cg

2 km 5 m 7 cm –2 dam 7 m 5 dm = ••• m

Problemas

9 Observa el gasto de agua de una casa en un año.

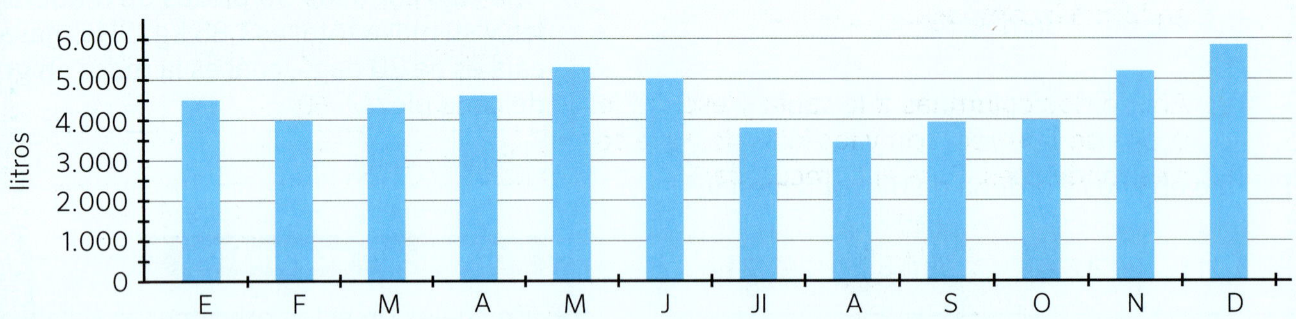

a) ¿Qué cantidad de agua han consumido el mes que menos han gastado?

A. 3,450 daℓ C. 3 hℓ 500 dℓ

B. 5.340 ℓ D. 3 kℓ 50 daℓ

b) ¿Y el mes que más? Redondea la cantidad a la unidad de millar.

c) ¿Cuántos litros de diferencia hay entre los meses de mayor y de menor consumo aproximadamente?

d) ¿Te parece adecuada la unidad que se utiliza en el gráfico? ¿Qué otra unidad podría usarse? ¿Utilizarías mililitros? Razona tus respuestas.

Ponte a prueba

Lee y comprende

La maratón es una prueba deportiva que tiene su origen en la leyenda de Filípides, un soldado de la antigua Grecia.

Filípides murió de fatiga tras correr unos 37 km entre Maratón y Atenas, para anunciar la victoria de su ejército en el año 490 a. C.

En su honor se creó la carrera que forma parte de los juegos olímpicos desde el año 1896, en el que se corrieron 40 km.

En las Olimpiadas de Londres de 1908, se alargó hasta los 42 km 195 m. Esta distancia es la reglamentaria actualmente.

1. ¿Qué cantidades del texto son medidas de longitud? Explica por qué lo sabes.
2. Clasifica las medidas de longitud del texto según estén expresadas en forma compleja o incompleja.
3. ¿Cuál de estas medidas no expresa la distancia actual de la maratón? Corrígela.

   A. 42.195 m C. 42 km 1 hm 9 dam 5 m

   B. 421,95 dam D. 42,195 km
4. ¿Cuál es la mayor distancia que ha tenido la maratón? Explica cómo lo has averiguado.

Tarea final El consumo de agua

PASO 1 Activa tu curiosidad científica y completa una tabla con los datos que anotaste en casa.

	litros	n.º de veces	litros totales
ducha	75	●●●	●●●
lavar manos	5	●●●	●●●
lavar dientes	3	●●●	●●●
váter	10	●●●	●●●
lavadora	60	●●●	●●●
lavavajillas	15	●●●	●●●
		total	●●●

PASO 2 Expresa el total en forma compleja. Explica qué unidad es más adecuada para expresarlo en forma incompleja.

PASO 3 Añade dos columnas a la tabla y escribe los cubos de 1 dm de lado y los kilos de agua correspondientes. Para ello, recuerda:

1 ℓ =  = 1 kg

PASO 4 Únete a un compañero y comparad las tablas. Pensad qué puede influir para que sean diferentes (el número de personas, el uso de electrodomésticos, etc.).

PASO 5 Buscad dos acciones que permitan ahorrar agua.

smSaviadigital.com

VALORA LO APRENDIDO **¿Cómo has trabajado** en esta tarea?

unidad

8

Medir el tiempo y el dinero

¡Qué importante es... la precisión!

Cualquier tipo de medición tiene que hacerse de la forma más exacta posible. Si somos meticulosos manejaremos datos correctos que nos permitirán hacer cálculos fiables.

Tarea final

Al final de la unidad crearás una línea del tiempo en la que situarás de manera precisa una serie de hechos históricos.

Cambios en el calendario

A finales del siglo XV, el astrónomo Regiomontano recibe del Papa el encargo de reformar el calendario. Sin embargo, es asesinado y no puede terminar el trabajo. Un antiguo discípulo y su hija Mina deciden investigar la misteriosa muerte. Antes, Mina intenta comprender por qué el Papa consideró necesario un nuevo calendario.

Con la cabeza llena de incógnitas nos dirigimos hacia la Biblioteca Vaticana. Por el camino, Mina me preguntó sobre el calendario.

—Perdona mi ignorancia, papá, pero ¿es realmente necesario reformar el calendario?

—Haces bien en preguntar —dije—. Es la mejor forma de aprender. Como sabes, el actual calendario fue obra de un astrónomo griego llamado Sosígenes, que lo creó por encargo de Julio César en el año 45 de nuestra era.

—Sí, eso me lo enseñaste hace tiempo. Se compone de 365 días y, cada cuatro años, se toma uno bisiesto de 366. Eso significa que el año tiene 365,25 días.

—Exacto. Se añadía un día extra después del 28 de febrero. Pues bien, la verdadera duración del año es algo inferior a la que calculó Sosígenes, así que hay una pequeña diferencia que se ha ido acumulando con el paso del tiempo y que, por ejemplo, ha desplazado la fecha de Pascua de Resurrección casi ya 10 días desde los tiempos del Concilio de Nicea. Por eso preocupa a la Iglesia, y por eso el Papa había traído hasta Roma al más reputado astrónomo de su tiempo.

—Comprendo —dijo Mina.

CARLOS OLALLA LINARES: *¿Quién mató a Regiomontano?*
Nivola Ediciones

Hablamos

1. ¿Qué es un año bisiesto? ¿Cuándo se produce?
2. ¿Cuántas horas son 0,25 días? ¿Qué significa que un año tiene 365,25 días?
3. ¿Comprende Mina la razón por la que hay que reformar el calendario? Explica cuál es.

1 Unidades de tiempo menores y mayores que el año

En la década de los 90 del siglo xx se celebraron los Juegos Olímpicos en Barcelona. Se desarrollaron durante una quincena del tercer trimestre del año 1992, que además resultó ser bisiesto. Fue en verano, durante una semana del mes de julio y 8 días del mes de agosto.

Un **año** tiene **365 días**. Para medir períodos de tiempo menores y mayores que el año, podemos utilizar:

1 semana	7 días
1 quincena	15 días
1 mes	28, 30 o 31 días
1 trimestre	3 meses

1 lustro	5 años
1 década	10 años
1 siglo	100 años
1 milenio	1.000 años

El año cuyo mes de febrero tiene 29 días se llama **bisiesto** y tiene **366 días**.

En ocasiones utilizamos el siglo en lugar del año para indicar cuándo ocurrió un acontecimiento. Para saber a qué siglo pertenece un año, seguimos estos pasos:

a. Si el año acaba en 00, suprimimos decenas y unidades y escribimos el resultado en números romanos.

5~~00~~ → 5 → siglo v
18~~00~~ → 18 → siglo xviii

b. Si el año no acaba en 00, suprimimos decenas y unidades, sumamos una unidad al número que nos queda y representamos en números romanos.

19~~85~~ → 19 + 1 = 20 → siglo xx
20~~14~~ → 20 + 1 = 21 → siglo xxi

1 Calcula.

- Los días de 3 quincenas
- Los meses de 3 cuatrimestres
- Los años de 4 lustros
- Los lustros de 6 décadas

Ten en cuenta
bimestre = 2 meses
cuatrimestre = 4 meses
semestre = 6 meses

2 Fíjate en las hojas del calendario. Indica cuál de estas afirmaciones es falsa.

A. Hay 90 días.
B. Hay 6 quincenas.
C. Hay 13 semanas.
D. Hay un trimestre.

3 Relaciona en tu cuaderno cada período de tiempo de la primera columna con el correspondiente de la segunda.

45 años	14 trimestres
14 décadas	540 meses
21 bimestres	28 lustros

4 Indica el siglo al que pertenece cada año.

578 · 2005 · 1492 · 800 · 1899

5 Escribe en tu cuaderno la fecha de hoy y contesta.

a) ¿En qué milenio estamos? ¿En qué año comenzó este milenio?

b) ¿En qué siglo estamos? Indica el día, mes y año en que dará comienzo el siguiente siglo.

6 Escribe dos fechas entre las que:

- Transcurra un lustro y se cambie de década.
- Transcurra una década y se cambie de siglo.
- Transcurra un siglo y se cambie de milenio.

Problemas

7 La revista NuevaTec, que trata sobre las últimas novedades en tecnología, se publica cuatrimestralmente.

a) ¿Cuántas revistas se han publicado en los últimos 3 años?

b) Si la última revista se ha publicado en el mes de mayo, ¿cuándo volverá a estar en los quioscos?

8 Lee el fragmento del siguiente artículo y contesta las preguntas.

> La Catedral de Santiago de Compostela fue construida en varias etapas. La primera etapa comenzó en el año 1075 y la última piedra fue colocada en el 1122, dándose momentáneamente por concluida en 1128. La segunda etapa dio comienzo en 1168, finalizándose en 1211.

a) ¿Cuántos años duró la construcción de la primera etapa? ¿Y de la segunda?

b) ¿Cuántos lustros transcurrieron desde que se dio por concluida la primera etapa hasta el comienzo de la segunda?

c) Indica en qué siglo se inició la construcción y en qué siglo se finalizó.

2 Horas, minutos y segundos

Para medir períodos de tiempo menores que el día utilizamos la hora, el minuto y el segundo.

1 día	1 hora	1 minuto
24 horas	60 minutos	60 segundos

Podemos transformar estas unidades con estas operaciones.

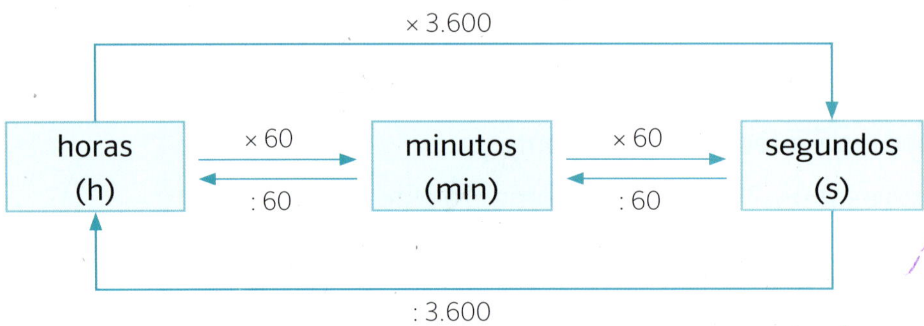

Para pasar de unas unidades de tiempo a otras se multiplica o divide por 60, por eso el sistema de unidades de tiempo se llama **sistema sexagesimal**.

1 h = 60 min **1 min = 60 s** **1 h = 3.600 s**

9 Estima cuánto tardas en cepillarte los dientes y compara tu respuesta con la de un compañero. ¿Qué unidades habéis utilizado? Explicad por qué.

10 Copia y transforma a la unidad indicada.

6 h = ••• min 180 s = ••• min 28 min = ••• s

2.160 min = ••• h 15 min = ••• s 840 min = ••• h

11 ¿Cuántos minutos son $\frac{1}{2}$ h? ¿Y $\frac{1}{4}$ h?

12 Observa el ejemplo y expresa en la unidad que se indica.

Ejemplo:
- 5 horas a segundos → 5 × 3.600 = 18.000 → 5 h = 18.000 s
- 7.200 segundos a horas → 7.200 : 3.600 = 2 → 7.200 s = 2 h

en horas	3.600 s	10.800 s	43.200 s
en segundos	1 h	6 h	24 h

¿Sabías que...?

El sistema sexagesimal es de origen babilónico. Surgió al contar con los dedos. Con las falanges de los dedos de una mano, menos las del pulgar, se cuenta hasta 12, y con los dedos de la otra, se indican las vueltas que se llevan.

12 × 5 = 60

Así se puede contar hasta 60.

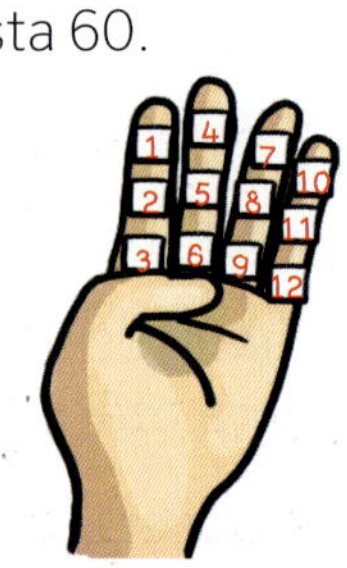

13 ¿Cuántos minutos hay en una semana? ¿Cuántas horas hay en un año bisiesto?

14 ¿Cuánto tiempo va atrasado el reloj de agujas? Explica qué unidad crees que es la más adecuada para expresarlo.

15 ¿Cuáles de estas afirmaciones son correctas? Corrige las incorrectas.

A. En 3 h hay los mismos minutos que en 10.800 s.

B. Una hora y cuarto son 4.500 s.

C. En un día hay 86.400 s.

D. 1,5 h son 1 h y 50 min.

Problemas

16 Observa el plan de viaje de Alonso.

9:00 → Me traslado del hotel al aeropuerto.
9:30 → Facturo el equipaje en el aeropuerto.
9:45 → Espero hasta embarcar.
10:40 → Subo al avión.
12:50 → Llego al aeropuerto de destino y recojo el equipaje.
13:10 → Me traslado desde el aeropuerto hasta casa.
14:00 → Llego a casa.

a) Expresa en minutos cuánto dura cada etapa del viaje.

b) ¿Cuántos minutos tarda Alonso desde que sale del hotel hasta que llega a casa? ¿Y cuántas horas?

17 Para ir al pueblo, Jaime tiene que coger dos autobuses con los siguientes horarios. Primero tiene que montar en *CorreBus* y luego en *TranquiBus*.

CorreBus
Horarios
11:35
14:25
17:40
19:15
Duración del viaje: 40 minutos

TranquiBus
Horarios
12:10
15:00
18:25
19:50
Duración del viaje: 55 minutos

a) ¿Qué combinación de autobuses recomendarías a Jaime?

b) ¿A qué hora llegará Jaime a su pueblo?

smSaviadigital.com
PRACTICA Entra en la web y trabaja las horas, minutos y segundos.

3 Distintos modos de expresar medidas de tiempo

El cronómetro de Manuel señala que su madre ha tardado 7.692 s en llegar a la meta. Sin embargo, el reloj de la carrera marca 2 h 8 min 12 s.

Las dos expresiones indican el mismo período de tiempo.

expresión incompleja (una sola unidad)	expresión compleja (dos o más unidades)
7.692 s	2 h 8 min 12 s

Para pasar de la expresión incompleja a la compleja:

1.º Calculamos cuántos minutos son 7.692 s.

```
7692 | 60
169    128   ← minutos
 492
  12   ← segundos
```

7.692 s son 128 min y 12 s.

2.º Como 128 es mayor que 60, dividimos para transformar esos minutos en horas.

```
128 | 60
 08   2
 ↑    ↑
minutos  horas
```

128 min son 2 h y 8 min.

▶ Por tanto, 7.692 s son 2 h 8 min 12 s.

Una **medida de tiempo** está expresada en **forma incompleja** cuando se utiliza una sola unidad, y en **forma compleja**, cuando se utilizan dos o más unidades.

18 Calcula en segundos. multiplico · x60

2 h 3 min 45 s | 2 h 4 min 57 s | 126 min 18 s | 2 h 49 min 49 s

19 ¿Puedes ordenar los tiempos de la actividad anterior escritos de forma compleja? ¿Y en segundos? Piensa con un compañero un ejemplo en el que sea más útil expresar el tiempo de forma compleja, y otro, de forma incompleja.

20 Completa esta tabla en tu cuaderno. divido ÷60

3.820 s	63 min 40 s	••• h ••• min ••• s
4.035 s	••• min ••• s	••• h ••• min ••• s
9.325 s	••• min ••• s	••• h ••• min ••• s

¿Sabías que...?

No todos los lugares del mundo tienen la misma hora en el mismo instante.

Si viajamos desde la Península a Canarias, tenemos que retrasar el reloj una hora.

21 Expresa en la unidad que se indica.

minutos	segundos	horas
4 h	45 min 38 s	360 min
5 h 3 min	2 h 15 min 27 s	14.400 s
3 h 18 min	6 h 18 min	1.800 min

22 Copia y expresa estos tiempos en la unidad indicada.

173 min = ••• h ••• min   4 h 27 min = ••• min

400 min = ••• h ••• min   5 h 45 s = ••• s

23 ¿Cuál de estos postres tarda menos en hacerse?

A. 38 min

C. 1 h 10 min

B. 2.700 s

D. 48 min

24 smSaviadigital.com PRACTICA Expresa medidas de tiempo de distintos modos.

Problemas

25 Alba, Bea y Clara participan en una carrera de 200 m. Alba tarda un minuto y medio, Bea, 1 min y 25 s, y Clara, 94 s. ¿Quién llega la primera?

26 Un piloto de MotoGP intenta batir el récord de tiempo en una vuelta a un circuito. El récord es de 1 min 29 s.

a) Si tarda 102 s en recorrer una vuelta entera, ¿obtiene un nuevo mejor tiempo?

b) ¿Cuántos segundos debe tardar para conseguirlo?

Taller de matemáticas manipulativas

El dominó del tiempo

1.º Nos juntamos en equipos para jugar al dominó y repartimos las 28 fichas a partes iguales.

Observa que cada ficha está dividida en dos partes. En cada parte aparecen expresados distintos períodos de tiempo.

2.º Comienza el jugador que tiene la ficha con la inscripción "1 día" en ambas partes.

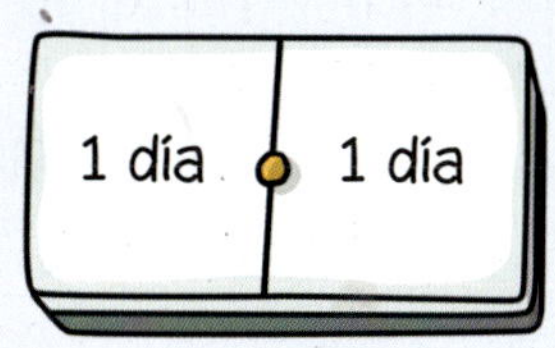

3.º El segundo jugador, el siguiente según las agujas del reloj, coloca una ficha que equivale a 1 día.

Observa que 1 día equivale a 24 h.

4.º Sucesivamente, cada jugador coloca la ficha que le corresponde y, si no puede colocar ficha, pasa el turno.

5.º La partida termina cuando un jugador se queda sin fichas o cuando no se pueden colocar más.

1 Fabrica dos fichas en blanco que puedas utilizar de comodín en caso de no poder colocar ninguna. Deberás rellenarla de manera adecuada para poder seguir jugando.

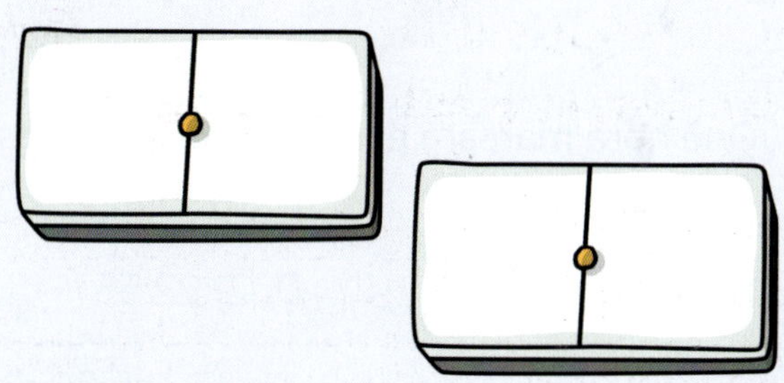

4 Sumar y restar datos de tiempo

Julián participa en una carrera ciclista durante un fin de semana. El sábado tarda 3 h 16 min 51 s en recorrer la etapa, y el domingo, 1 h 39 min 27 s.

¿Cuál es su marca al final de la carrera?

Sumamos 3 h 16 min 51 s + 1 h 39 min 27 s

	h	min	s
		1	
	3	16	51
+	1	39	27
	4	56	~~78~~
			18

a. Si los segundos o los minutos suman 60 o más, los transformamos.

78 s = 60 s + 18 s → 78 s = 1 min + 18 s

▶ La marca de Julián al final de la carrera es de 4 h 56 min 18 s.

¿Cuántas horas más tardó el sábado?

Restamos 3 h 16 min 51 s – 1 h 39 min 27 s

	h	min	s
	2	76	
	~~3~~	~~16~~	51
–	1	39	27
	1	37	24

b. Como 16 es menor que 39, transformamos 1 hora del minuendo en minutos.

3 h = 2 h + 1 h → 3 h = 2 h + 60 min

▶ Julián ha tardado 1 h 37 min 24 s más el sábado que el domingo.

27 Copia y realiza estas operaciones.

	h	min	s
	3	25	30
+	5	14	27
	•••	•••	•••

	h	min	s
	5	18	47
+	15	55	33
	•••	•••	•••

	h	min	s
	9	35	40
–	7	21	53
	•••	•••	•••

	h	min	s
	12	50	45
–	4	55	52
	•••	•••	•••

28 ¿Qué hora marcará el reloj dentro de dos horas y media?

A. 23:12:45 **C.** 22:12:55

B. 20:12:55 **D.** 21:22:55

¿Qué hora marcaba hace 3 h 45 min 30 s?

29 Observa estos cronómetros y realiza las operaciones que se indican.

a) A + C b) A + B c) C – B d) A + C – B

30 Fíjate en estas operaciones con medidas de tiempo. ¿Qué datos faltan?

5 h 16 min 42 s – ••• h ••• min ••• s = 2 h 10 min 1 s

25 h ••• min 34 s + ••• h 2 min ••• s = 41 h 12 min 4 s

smSaviadigital.com PRACTICA Entra en la web y opera con datos de tiempo.

Problemas

31 Un atleta empieza una carrera a las 9:30:00 y llega a la meta a las 10:05:25.

a) ¿Durante cuánto tiempo ha estado corriendo?

b) El último clasificado llega 1 min 35 s después. ¿A qué hora termina?

32 Elena estuvo 45 min en la biblioteca Marta, 1 h 25 min más que Elena, y Andrés, 58 min más que Marta. ¿Cuánto tiempo estuvo Marta en la biblioteca? ¿Y Andrés?

33 En la televisión ponen una película que dura 1 h 35 min. Hacen dos cortes publicitarios, uno de 7 min 14 s y otro de 5 min 30 s.

a) ¿Cuánto dura en total la publicidad?

b) ¿Cuánto tiempo pasa desde que comienza la película hasta que termina?

c) Si la película acaba a las 18:23:12, ¿a qué hora empezó?

34 Lidia estudia las tarifas y los horarios de trenes para viajar a su ciudad.

a) ¿Cuánto tiempo ahorra si viaja en el tren Alta Velocidad?

b) Debate con un compañero qué opción elegiríais. Explicad por qué.

c) Lidia elige el tren Alta Velocidad y sale de la estación a las 09:35. ¿A qué hora llega a su destino?

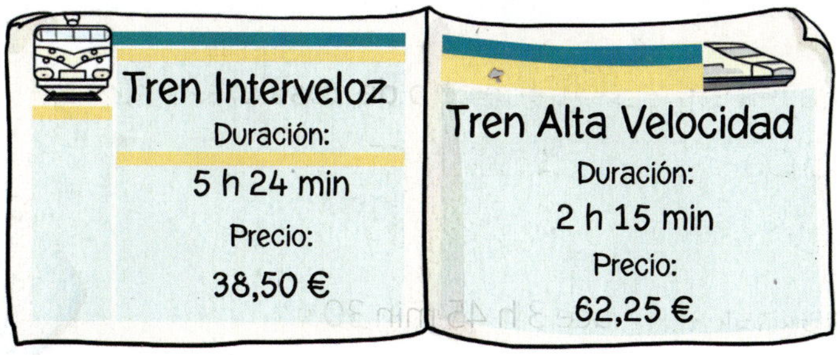

5 Monedas y billetes. Operaciones

¿Puede pagar Felipe la cámara de fotos de 77,49 €?

Felipe tiene:

Un billete de 50 €	→	50 €
Dos billetes de 10 €	→	20 €
Un billete de 5 €	→	5 €
Una moneda de 2 €	→	2 €
Una moneda de 50 CENT	→	0,50 €
Total		77,50 € → 77,50 € > 77,49 €

▶ Felipe tiene suficiente dinero para pagar.

Carlota asegura que tiene 7.695 CENT de euro. ¿Podría comprar la cámara de 77,49 €?

Para averiguarlo, pasamos los céntimos de euro a euros.

7.695 CENT —(: 100)→ 76,95 € (x 100 ←) → 76,95 € < 77,49 €

▶ Carlota no tiene suficiente dinero para pagar.

El **euro** es la unidad monetaria de la Unión Europea, su símbolo es **€**. Cada euro se divide en **100 partes iguales**, llamadas **céntimos** y se escribe **CENT**.

35 Expresa en euros las siguientes cantidades.

- 20 € y 5 CENT
- 233 € y 78 CENT
- 245 CENT
- 1.603 CENT
- 685 € y 23 CENT
- 4.760 CENT

36 Escribe tres formas distintas de pagar 235 € con estas monedas y billetes.

37 ¿Cuántos euros tenemos si hay una moneda y un billete de cada valor?

A. 885,88 € **B.** 688,85 € **C.** 888,88 € **D.** 688,88 €

Ten en cuenta

En la actualidad, existen las siguientes monedas y billetes.

billetes	monedas
500 €	2 €
200 €	1 €
100 €	50 CENT
50 €	20 CENT
20 €	10 CENT
10 €	5 CENT
5 €	2 CENT
-	1 CENT

38 Obtén estas cantidades con el menor número de monedas y billetes.

34,15 € 453,26 € 86,90 €

39 Copia y resuelve en tu cuaderno las siguientes operaciones con euros.

702 € y 7 CENT + 32 € y 53 CENT

258 € y 32 CENT + 178 € y 85 CENT

326 € y 90 CENT – 26 € y 8 CENT

589 € y 15 CENT – 345 € y 46 CENT

40 Copia y competa la siguiente tabla.

precio a pagar	cantidad pagada	devolución
351 € y 55 CENT	•••	8,45 €
•••	180 € y 5 CENT	6 €
235,15 €	•••	5 €

41 Observa el siguiente tique de la compra y contesta:

a) ¿Qué precio tiene cada bote de tomate?

b) Ordena cada producto del más barato al más caro.

c) Calcula el precio estimado del total de la compra.

2 paquetes de cereales..........3,90 €
3 cartones de zumo ....3,75 €
1 lata de espárragos...............3,39 €
4 botes de tomate....................3,16 €

Problemas

42 Samuel ha comprado los siguientes productos, ha pagado con 300 € y le han devuelto 3 € y 70 CENT. ¿Cuánto le ha costado el mp4?

Si para pagar ha utilizado únicamente cuatro billetes, ¿qué billetes han sido? ¿Hay más de una posibilidad?

43 Lidia ha ido a la piscina municipal de su barrio y ha invitado a sus cinco amigos. Para pagar ha dado 40 € y 50 CENT, y le han devuelto 3 €.

a) ¿Cuánto le ha costado a Lidia cada entrada?

b) ¿Por qué crees que ha pagado con 40 € y 50 CENT?

Problemas

Estrategia: Responder preguntas intermedias

En el instituto Julio tiene 3 clases al día de 55 min y 3 de 45 min. Si a media mañana descansa 24 min, ¿cuántas horas a la semana pasa en el instituto?

- **¿Qué nos pide el problema?**

  Averiguar cuántas horas semanales pasa Julio en el instituto.

- **¿Qué datos necesitamos?**

  - Las clases que tiene en un día y su duración: 3 clases de 55 min y 3 clases de 45 min.
  - El tiempo de descanso diario: 24 min.

- **¿Cómo se resuelve?**

  Pensamos qué preguntas intermedias podemos plantear y las resolvemos.

1.º ¿Cuántas horas pasa Julio en clase cada día?

$55 \times 3 + 45 \times 3 = 300$ $\quad 300 : 60 = 5$

Pasa 300 min en clase cada día, que son 5 h.

2.º ¿Y a la semana?

$5 \times 5 = 25$

Pasa 25 h en clase a la semana.

3.º ¿Cuántas horas de descanso tiene a la semana?

$24 \times 5 = 120$ $\quad 120 : 60 = 2$

Tiene 2 h de descanso semanales.

4.º ¿Cuántas horas a la semana pasa Julio en el instituto?

$25 + 2 = 27$

▶ **Solución:** Julio pasa 27 h semanales en el instituto.

➲ Comprueba que el resultado es el mismo si calculamos primero el tiempo que Julio está en el instituto cada día y luego multiplicamos por los 5 días de la semana.

1. Daniel trabaja 7 h 45 min al día y tiene un único descanso de 20 min. En una semana de 5 días laborables, ¿cuántas horas y minutos trabaja en total?

2. Un grifo estropeado pierde medio litro de agua cada media hora. Si no se repara, ¿cuántos litros se perderían en 30 días?

3. Emma conduce la ruta de autobús del fin de semana. Cada día realiza 2 trayectos de 2 h 30 min y uno de 1 h 45. Si descansa media hora entre cada trayecto, ¿cuánto tiempo en total dedica el fin de semana a hacer las rutas?

smSaviadigital.com
RESUELVE PROBLEMAS Paso a paso en la web.

Utiliza tus estrategias

1 En la clase de Ana se ha realizado una prueba de velocidad lectora. Estos han sido los mejores resultados.

Ana: 7 min 25 s	Arturo: 6 min 12 s
Berta: 7 min 10 s	Irene: 5 min 36 s
Carlos: 4 min 54 s	Óscar: 6 min 48 s
Paula: 7 min	Alicia: 7 min 23 s

a) ¿Quién ha sido el más rápido?

b) ¿Quién ha tardado más en leer?

c) ¿Cuántos segundos ha tardado Óscar más que Irene?

2 Gabriela ha tardado tres cuartos de hora en hacer un examen, Alejandro, una hora y cuarto, y Andrea, 55 min.

a) ¿Quién ha terminado primero? ¿Y último?

b) Si el examen empezó a las 9:23 indica a qué hora acabó cada uno.

3 A las 15:15 Mario comenzó a grabar con su cámara la visita al centro histórico. Grabó durante 1 h y 56 min y descansó dos periodos de 8 min y 5 s. ¿A qué hora acabó la visita?

4 ¿Quién ha tardado más en realizar el trabajo?

Gerardo	Lara	Jaime	Isaac
2 h 45 min 27 s	2.750 s	168 min	2.748 s

A. Gerardo
B. Lara
C. Jaime
D. Isaac

5 Maite ha estado nadando 460 s. ¿A qué hora terminó?

A. 8 h 42 min 55 s
B. 8 h 45 min 15 s
C. 8 h 37 min 35 s
D. 8 h 32 min 55 s

6 Juana ha salido de su casa a las 9 menos veinte y ha llegado a la oficina a las 9:07. ¿Cuántos segundos ha tardado?

A. 27 s B. 1.620 s C. 1.320 s D. 16.200 s

7 Julián y Paloma han comido en un restaurante. Si la cuenta es de 44,50 €, les han devuelto 5 € y Julián ha pagado 18,75 €, ¿cuánto ha pagado Paloma?

A. 25,80 €
B. 30,75 €
C. 25,75 €
D. 31,25 €

Inventa un problema

8 Utiliza dos de estos datos para inventar un problema que se resuelva con una suma, y cuyo resultado sea 14 h 27 min 7 s. Después, resuélvelo.

7 h 2 min 7 s | 7 h 12 min 15 s

¿Tiene sentido?

9 Alexander Graham Bell nació en 1847 e inventó el teléfono en 1879. ¿Es posible que lo inventara cuando tenía 31 años?

10 Eva ha tardado 1 h 20 min en recorrer un trayecto que empezó a las 7 y media y terminó a las 8 y cuarto.

11 Mónica paga una compra de 50 € con 1 billete de 20 €, 3 de 5 €, 2 monedas de 1 €, 5 de 50 CENT y 6 de 20 CENT. ¿Es posible?

Matemáticamente

Cálculo mental — Multiplicar por 11 y 101

84 × 11

84 → × 10 → 840 → + 84 → 924

84 × 11 = 84 × 10 + 84 = 924

84 × 101

84 → × 100 → 8.400 → + 84 → 8.484

84 × 101 = 84 × 100 + 84 = 8.484

1. Aplica la estrategia anterior y escribe el resultado en tu cuaderno.

45 × 11 | 18 × 11 | 11 × 36 | 28 × 101 | 64 × 101 | 101 × 73

2. ¿Qué multiplicaciones están bien hechas? Corrige los resultados incorrectos en tu cuaderno.

28 × 11 = 308	67 × 11 = 736	80 × 101 = 8.080
42 × 11 = 492	88 × 11 = 96	42 × 101 = 4.252
15 × 11 = 175	95 × 101 = 9.595	33 × 101 = 33.330

3. ¿Se te ocurre una estrategia distinta para resolver las multiplicaciones anteriores? Escribe un ejemplo resuelto en cada caso con tu estrategia.

4. Andrea recorre 11 km cada día en bicicleta. Calcula mentalmente cuántos kilómetros recorrerá en dos semanas. ¿Y en un mes?

smSaviadigital.com
PRACTICA Utiliza esta estrategia de **cálculo mental**.

Retos matemáticos

1. ¿Cómo resolverías la operación 12,375 : 0,32 con tu calculadora si la tecla de la *coma* no funciona?

2. ¿Qué posición tendrá la pieza si gira en el sentido opuesto a las agujas del reloj lo correspondiente a 255 min?

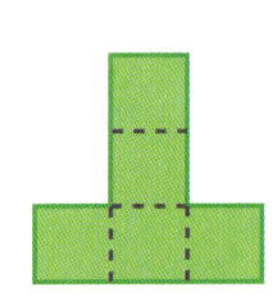

Repasa la unidad

Organiza tus ideas

Medir el tiempo

unidades de tiempo mayores y menores que el año

1 semana	7 días	1 lustro	5 años
1 quincena	15 días	1 década	10 años
1 mes	28, 30 o 31 días	1 siglo	100 años
1 trimestre	3 meses	1 milenio	1.000 años

horas, minutos y segundos

4 h → × 60 → 240 min → × 60 → 14.400 s

14.400 s → : 60 → 240 min → : 60 → 4 h

4 h → × 3.600 → 14.400 s; 14.400 s → : 3.600 → 4 h

expresión compleja e incompleja

7.692 s = 2 h 8 min 12 s

```
7692 | 60           128 | 60
 169   128           08   2  ← horas
  492                 ↑
   12 ← segundos    minutos
```

suma y resta

	h	min	s
		1	
	3	16	51
+	1	39	27
	4	56	~~78~~
			18

	h	min	s
	2	76	
	~~3~~	~~16~~	51
–	1	39	27
	1	37	24

1 Copia y corrige las igualdades incorrectas.

3 h = 1.800 min

7 h = 2.520 s

840 min = 14 h

24 min = 1.440 s

120 s = 7.200 min

25.200 s = 420 h

2 Expresa en forma compleja o incompleja, según corresponda en cada caso.

7.521 s | 1 h 27 s | 401 min | 34 min 49 s | 2 h 55 min 30 s

3 ¿Qué hora marcará el último reloj? Completa la serie en tu cuaderno.

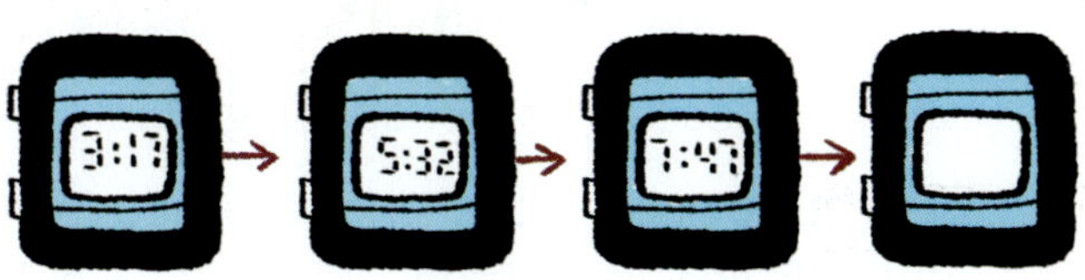

4 Copia y calcula los términos que faltan.

5 h 14 min + ••• = 7 h 3 min

4 h 14 s – ••• = 2 h 15 min 7 s

5 Resuelve las siguientes operaciones con euros.

199 € y 70 CENT + 23 € y 65 CENT

569 € y 41 CENT – 43 € y 50 CENT

Problemas

6 Elisa entró a las 9:20 en el polideportivo.

a) Si estuvo 1 h y 45 min, ¿a qué hora salió?

b) La entrada costaba 6,55 € y pagó con 6 monedas. ¿Qué monedas utilizó?

Vocabulario matemático

7 Si un trimestre dura tres meses y un milenio mil años, ¿cómo se llamaría un período de tres años? ¿Y de cuatro? Compruébalo en el diccionario.

smSaviadigital.com

VALORA LO APRENDIDO Comprueba lo que sabes en la **autoevaluación**.

Repasa las unidades

1 · 2 · 3 · 4 · 5 · 6 · 7 · 8 · 9 · 10 · 11 · 12

1 Indica tres múltiplos comunes de los siguientes pares de números.

2 y 3   3 y 5   2 y 5

2 Nombra los números de estas operaciones y calcula.

765 + 53.809 + 1.945	67.504 × 609
537.095 – 12.418	6.720.624 : 423
47.146 – 38.368	7.926 : 75

3 ¿Cuáles de estas fracciones son equivalentes a $\frac{6}{15}$?

$\frac{3}{4}$ $\frac{12}{30}$ $\frac{3}{5}$ $\frac{240}{600}$ $\frac{12}{45}$ $\frac{18}{45}$

4 ¿Qué operaciones están mal hechas? Explica por qué y corrígelas en tu cuaderno.

$\frac{5}{2} - \frac{2}{3} = \frac{11}{6}$ $6 + \frac{2}{3} = \frac{18}{2}$ $5 \times \frac{3}{2} = \frac{8}{2}$

5 Copia y escribe en forma de fracción decimal.

$9{,}3 = \frac{\bullet}{\bullet}$ $0{,}0067 = \frac{\bullet}{\bullet}$ $102{,}01 = \frac{\bullet}{\bullet}$

6 ¿Qué teclas de la calculadora se han pulsado para obtener los resultados que aparecen?

7,563 → 756,3 / 7.563 / 0,007563

300,1 → 3,001 / 30.010 / 0,3001

7 Completa estas expresiones en tu cuaderno.

3 km 4 hm = ••• cm   5 ℓ 4 cℓ = ••• mℓ

4 hg 6 dag = ••• g   6 kℓ 5 hℓ = ••• cℓ

8 Expresa estas cantidades de tiempo en las unidades que se indican.

5 h 25 s = ••• s

2 h 3 m 7 s = ••• s

12.008 s = ••• h ••• min ••• s

1.507 min = ••• h ••• min ••• s

Problemas

9 Un tren sale de la estación a las 22:15 y llega a su destino a las tres menos cuarto de la madrugada del día siguiente.

a) ¿Cuánto tiempo dura el trayecto?

b) Si los trenes salen cada 90 min, ¿a qué hora sale el último tren que llega en el mismo día al destino?

c) ¿Qué fracción de trenes, de mediodía a medianoche, sale de la estación cuando faltan 15 min para la hora en punto?

10 Marta quiere comprar esta bicicleta para practicar su deporte favorito.

a) Si ha ahorrado $\frac{3}{4}$ partes de lo que cuesta, ¿cuánto dinero le falta? Si la bici tiene un 25 % de descuento, ¿puede pagarla?

b) Marta ha hecho el mismo recorrido los tres últimos días de entrenamiento. Estos son los tiempos que ha tardado.

1 h 5 s   58 min 43 s   1 h 2 min

¿Cuál es el tiempo medio que ha empleado en hacer el recorrido?

Piensa y decide

A las 17:30 tres amigos deciden ir al cine, que está a 35 min caminando.

- Elsa elige la película de las 19:00 para ir sin prisas.
- Rafael prefiere la película de las 18:15 para volver antes a casa.
- Hugo quiere ver la película de las 18:00 porque empieza antes.

sesión	duración
18:00	115 min
18:15	125 min
18:20	105 min
19:00	130 min

1 Responde a estas preguntas.

a) ¿En qué propuestas llegarán a tiempo al comienzo de la película?
b) ¿A qué hora terminará la película elegida por cada amigo?
c) Si deben regresar a casa antes de las 9, ¿volverán a tiempo?

2 Explica qué opción te parece la más adecuada y compara tu respuesta con la de un compañero.

A. La propuesta de Elsa

B. La propuesta de Hugo

C. La propuesta de Rafael

Tarea final — Construye una línea de tiempo

PASO **1** Formad equipos de tres y elegid cada uno un hecho histórico entre los siglos XV y XX. Buscad la fecha y los detalles.

PASO **2** Haz un mural con los hechos históricos de tu grupo ordenados en una línea de tiempo. Añade la fecha y una fotografía o dibujo.

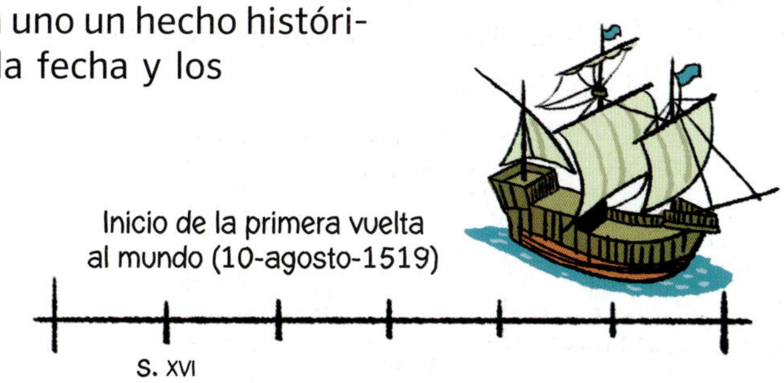

PASO **3** Explica brevemente los acontecimientos en el mural. Anota la hora, minutos y segundos a la que empiezas y a la que acabas.

PASO **4** Calcula el tiempo que has invertido en el paso anterior.

PASO **5** Averigua el tiempo de tus compañeros y calcula el tiempo total de tu equipo.

smSaviadigital.com

VALORA LO APRENDIDO **¿Cómo has trabajado** en esta tarea?

Comprueba lo que has aprendido

¿Recuerdas todo lo que has aprendido durante este trimestre?

1 Indica cuál de los siguientes números no está correctamente escrito.

A. Quince unidades y trescientas veintitrés milésimas: 15,323

B. Doscientos cincuenta y cuatro coma cinco: 254,05

C. Seis unidades y siete centésimas: 6,07

D. Cero coma cuarenta y siete: 0,47

2 Señala la parte entera y decimal de los siguientes números. Aproxímalos en tu cuaderno a la unidad y a la décima.

12,691 25,16 0,74 35,728

3 Copia la recta en tu cuaderno y sitúa los siguientes números decimales sobre la recta .

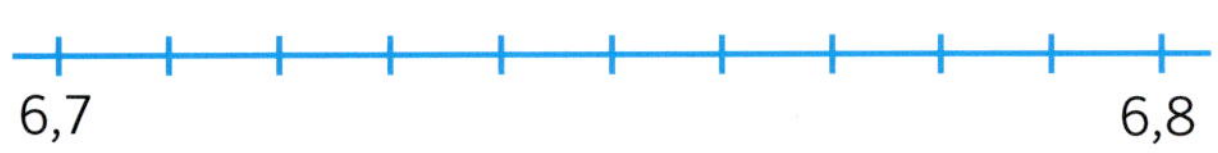

6,75 6,78 6,8 6,72

4 ¿Cuáles de las siguientes operaciones dan el mismo resultado?

a) 567,53 + 2.179,86 + 43,755

b) 2.178,36 – 56,13

c) 67,853 × 14,78

d) 10.544,76 : 2,88

A. a y b B. b y c C. a y d D. Ninguna

5 Indica en cada caso la unidad más adecuada para medir.

6 Expresa en forma incompleja en tu cuaderno.

8 kℓ 5 daℓ + 3 hℓ 206 cℓ = ••• dℓ

4 kg 5 hg 6 g + 9 dag 6 g 5 cg = ••• mg

2 hg 6 g – 3 dag 5 g 14 cg = ••• cg

12 km 5 dam 7 cm – 2 hm 75 dm = ••• cm

7 Ordena estos tiempos de mayor a menor cantidad.

a) 4 h 1243 s

b) 15.125 s

c) 4 h 12 min 7 s

d) 254 min

A. b - a - c - d

B. d - c - a - b

C. a - d - c- b

D. d - b - a - c

8 Resuelve estas operaciones en tu cuaderno. Expresa el resultado en forma incompleja.

2 h 39 min 32 s + 1 h 21 min 9 s

5 h 17 min 34 s – 2 h 6 min 21 s

7 h 45 min 6 s + 3 h 12 min 56 s

8 h 57 s – 2 h 26 min 30 s

9 Irene tiene 4 billetes y 2 monedas. ¿Cuánto dinero tiene?

A. 30 € B. 28 € C. 23,50 € D. 38 €

Tarde en el museo

León va a ver una exposición con su familia al museo de arte moderno de la ciudad. El museo está formado por 5 módulos y una antena.

1 Cada módulo representa 1 unidad.

a) ¿Qué representa la parte de cristal?

b) ¿Y la antena?

c) ¿Y la puerta?

2 La parte acristalada y la puerta representan:

A. 0,206 U   B. 0,26 U   C. 0,2 U   D. 2 U

3 ¿Qué número representa todo el museo menos la parte acristalada?

4 ¿Cuál de estas descomposiciones representa todas las piezas del museo menos la puerta?

A. 2 U + 3 d   B. 5 U + 1 d + 6 c   C. 5 U + 6 c   D. 5 U + 4 m

Observa la información de la taquilla del museo.

5 León visita el museo con sus padres, una tía que está estudiando y su hermana gemela de 10 años. Entran al museo a las 19:15.

a) ¿Cuánto han pagado en total para entrar a la exposición?

b) ¿A qué hora han salido del museo?

6 De lunes a viernes, el museo abre a las 10 de la mañana y cierra a las 9 y media de la noche.

a) ¿Cuántos minutos permanece abierto entre semana?

b) ¿Cuántos visitantes tiene al día?

c) Si en fin de semana abre a las 10 de la mañana y cierra a las 8 de la tarde, ¿cuántos visitantes tiene a la semana?

Todos hacemos Europa

PROYECTO TRIMESTRAL
Descubrimos el arte

Un museo, un tesoro

¿Sabes que en Europa están algunos de los museos más visitados del mundo? En esta sección descubrirás algunos de ellos, dónde están, qué obras exponen, los precios de las entradas, la distancia a tu ciudad, etc.

http://www.nationalmuseum.se

Museo Nacional de Estocolmo (Suecia)

Recoge alrededor de medio millón de dibujos realizados entre los años 1500 y 1900, objetos de porcelana, pinturas, esculturas, y obras de arte moderno. Entre los artistas se encuentran El Greco, Rembrandt, Rubens, Goya, Renoir, Degas, Gauguin y Larsson.

Horario

De martes a viernes: 11:00 h – 17:00 h
Sábados y domingos: 12:00 h – 16:00 h
Lunes cerrado

Precios

Entrada normal: 100 kr
Entrada reducida: 80 kr

Viajar desde Praga
Distancia aproximada
1.055,09 km
Duración del vuelo
2 h 05 min

Viajar desde Atenas
Distancia aproximada
2.410,28 km
Duración del vuelo
3 h 40 min

1 Observa la información anterior y contesta.

a) ¿Cuánto tiempo permanece abierto el museo cada día?

b) ¿Cuánto cuesta la entrada en coronas suecas (kr)? ¿Y en euros?

c) ¿Qué ciudad está más cerca de Estocolmo, Praga, Atenas o tu ciudad?

d) Si del aeropuerto de Estocolmo al museo se tardan 20 min, ¿a qué hora tendrías que coger el avión en cada lugar para llegar dos horas antes de la apertura del museo un sábado?

Ten en cuenta

1 kr = 1,101 €

2 Formad grupos de 6 en clase, elegid una de estas ciudades europeas e investigad sobre uno de sus museos para dar respuesta a las preguntas.

Museo del Louvre
París (Francia)

Galería Nacional
Londres (Reino Unido)

Museo Hermitage
San Petersburgo (Rusia)

Museo Louisiana
Copenhague (Dinamarca)

Museo de Bellas Artes
Budapest (Hungría)

Colección Rosengart
Lucerna (Suiza)

a) ¿Qué tipo de obras se exponen en el museo?

b) ¿Cuáles son los horarios?

c) ¿Cuánto cuesta la entrada en la moneda del país? ¿Y en euros?

d) ¿A qué distancia se encuentra de tu ciudad?

e) ¿Cuánto tardarías en llegar en avión?

3 Compartid la información y completad una tabla como esta.

museo	ciudad (país)	horarios	precio original	precio en euros	distancia	duración del vuelo
•••	•••	•••	•••	•••	•••	•••

4 Observad la tabla y contestad.

a) ¿Qué museo abre antes? ¿Cuál cierra más tarde ? ¿Cuál abre más tiempo?

b) ¿Qué monedas de Europa distintas aparecen? ¿Cuál tiene más valor?

c) Indicad el precio de la entrada más cara y el de la más barata.

d) ¿Cuánto cuesta de media la entrada a estos museos europeos?

e) ¿Qué museo está más cerca de tu ciudad? Expresa la distancia en forma compleja.

f) Elegid qué museo te gustaría visitar y explica por qué.

El libro **Matemáticas** para **5.º** de **Primaria** forma parte del Proyecto Editorial de Educación Primaria de SM. En su realización ha participado el siguiente equipo:

Autoría
Gabriel Medina, Mercedes Garín, Carmen Hernández, Rafael Pérez, Cristóbal Macías, Miriam Peña, Rafael Ramírez, Javier Bernabeu, Alberto Navarro, Francisco Morales, José Manuel Vidal, María Nila Pérez, Zoraida de Armas, Yolanda González, Àngels Navarro, Begoña Oro

Edición
Aurora Bellido, Jesús Macías, Ana Casado, Eva Béjar, Oiana García, Ana Carvajal, Natividad Juarros, José Manuel Gómez, Arturo García, Nuria Hernanz, Lucía de la Rosa

Corrección
Javier López

Ilustración
Archivo SM; Juan Antonio Rocafort Huerta; Dani; Cristina Picazo; Triz; Diego Burdío Roman; Sebastià Serra; Jesús Gabán (cubierta)

Fotografía
Javier Calbet, Sonsoles Prada, Fidel PuertaArchivo SM; Olimpia Torres; Pkruger/DREAMSTIME; PHOTODISC; INGRAM; THINKSTOCK; 123RF; SHUTTERSTOCK; AGE FOTOSTOCK

Edición gráfica
Fidel Puerta

Diseño de cubierta e interiores
Estudio SM

Responsable del proyecto
Eva Béjar, Javier Bernabeu

Coordinación de contenidos digitales
Mara Mañas

Coordinación editorial de Matemáticas
Josefina Arévalo

Coordinación editorial de Primaria
Pilar Menéndez, Nuria Corredera

Dirección de Arte del proyecto
Mario Dequel

Dirección editorial
Aída Moya

Ilustración de cubierta
de Jesús Gabán,
del libro *Versos del bosque*,
Ediciones SM, 2013.

Todas las actividades contenidas en este libro han de ser realizadas en un cuaderno aparte, nunca en el propio libro.
Los espacios incluidos son meramente indicativos y su finalidad es puramente didáctica.

Gestión de las direcciones electrónicas
Debido a la naturaleza dinámica de internet, SM no puede responsabilizarse de los cambios o las modificaciones en las direcciones y los contenidos de los sitios web a los que remite en este libro.

Con el objeto de garantizar la adecuación de las direcciones electrónicas de esta publicación, SM emplea un sistema de gestión que redirecciona las URL que con fines educativos aparecen en la misma hacia diversas páginas web; entre otras de uso frecuente: es http://es.wikipedia.org, www.youtube.es. SM declina cualquier responsabilidad por los contenidos o la información que pudieran albergar, sin perjuicio de adoptar de forma inmediata las medidas necesarias para evitar el acceso desde las URL de esta publicación a dichas páginas web en cuanto tenga constancia de que pudieran alojar contenidos ilícitos o inapropiados. Para garantizar este sistema de control es recomendable que el profesorado compruebe con antelación las direcciones relacionadas y que comunique a la editorial cualquier incidencia a través del correo electrónico ediciones@grupo-sm.com.

Cualquier forma de reproducción, distribución, comunicación pública o transformación de esta obra solo puede ser realizada con la autorización de sus titulares, salvo excepción prevista por la ley. Diríjase a CEDRO (Centro Español de Derechos Reprográficos, www.cedro.org) si necesita fotocopiar o escanear algún fragmento de esta obra.

Este libro está impreso en papel procedente de bosques gestionados de manera sostenible.

© SM
Impreso en la UE / *Printed in EU*